寄生獣

기생수

8

contents 애장판

제58화 ——— 오른쪽이

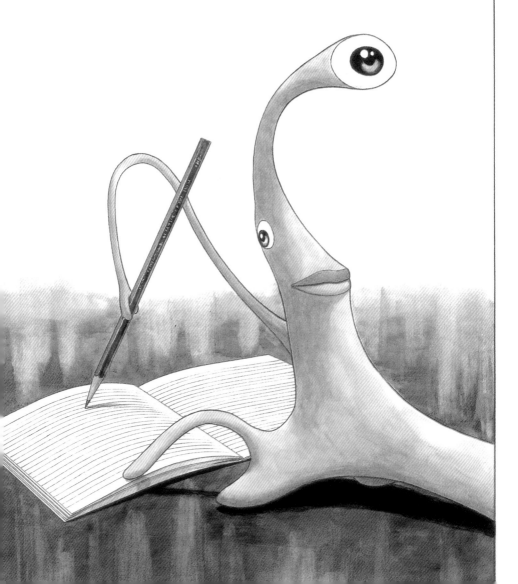

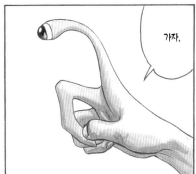

가자.

틀렸어.
살아 있다….
튼튼한 놈이야.

오른쪽아
….

도망가야지.

가다니….

제기랄!
어떡하면 좋나?
보통 괴물이라면 달리기로
이길 수 있지만
「고토」는 달라!

무슨 수를 써도
그놈이 위야!
100% 승산이 없어!

싸워서 이길 수 없고, 달아나도 따라잡힐 경우... 보통은 어떻게 할까?

으익~! 이런 때도 냉정한 놈!

글쎄... 어떨까?

하지만 안 돼! 우리 위치가 탐지되잖아!!

그야 어딘가에 숨든지….

뭐?

저 숲으로 들어가.

그렇군…. 그러면 역시….

...내가 언제 같은 전법을 쓴대?

하지만 이런 곳에서 싸우는 건 「미기」라면 몰라도 「고토」한텐 불리해!

좋아, 스톱.

뭐!

헉헉!

작전회의?
작전회의라고?
당장 토막토막나
죽을 판인데!!

신이치!!

야아!
이런 데서 한가하게
쉴 때가 아니잖아!

진정해.
아무튼
놈이 올 때까지
작전회의를 하자구.

신이치... 마음은 잘 알겠어.
죽는 건... 그것도
남의 손에 죽는 건
누구나 무서워.
나도 마찬가지야.
하지만 정신은 똑바로 차려야 해!

자...
늘 하던 것처럼
가슴에 손을 얹고
심호흡을 해봐.

후우 하아.

네게는
보통 사람에게 없는
강점이 있잖아.
어떤 때라도
침착해질 수 있다는
강점이....

......

후―.

좋아,
잘했어.

가령,
서로의 전력을 「힘」이나
「크기」만으로 비교하지 말고
「형태」나 「색」으로,
「냄새」로도 비교해 보면…
어떨까?

잘 들어.
분명 「고토」의 능력은
모든 면에서 너보다 위다.
아무리 따져도
100% 승산이 없을지 몰라.

하지만
발상을 조금만
바꿔 보자구.

…얼른 감이
안 잡히는데….

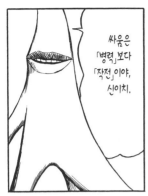

싸움은 「병력」보다 「작전」이야, 신이치.

뭐어…?!

어차피 우리 둘이 힘을 합쳐도 승산이 없다면… 차라리 힘을 나눠 보지 않겠어?

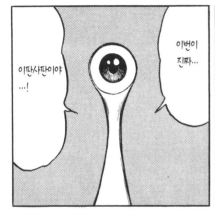

이판사판이야…!

이번이 진짜…

!

네 호주머니에 차에 있던 라이터를 넣어 뒀어.

위라….

……

이게 그놈들의
전투태세라면
…재밌는걸.

가지를 타고
사방에
퍼져 있나
본데….

그러니까 그놈도 예상 못할 거야.

무모해!! 너무 무모하다구!!

...이건 시간과의 싸움이다!

또한... 오른팔의 절단면에 남을 세포도 극히 소량이니까 문제 없을 거야.

네 몸속에 녹아들어간 내 세포는 완전히 네 몸과 융합해 변질된 상태라서 「고토」는 탐지할 수 없어.

놈은 네 존재를
알아채지 못하고
바로 내쪽으로 온다.

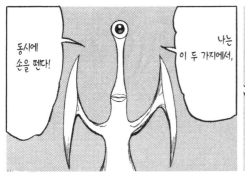

동시에
손을 뗀다!

나는
이 두 가지에서,

동체는 기생생물의
「목숨줄」인 동시에
최대의
「약점」이기도 하지.

아마도
반경질화한 기생세포로
감싸여 있는 듯하다.
하지만 전체를
완전히 싸고 있다고
생각하기는 어려워.
움직임이 둔해질 테니….

「고토」의
동체….

하지만 갑옷의
「틈새」를 찾을
여유는 없다.

「미기」 때와 같은
「머리」 (목) 다!

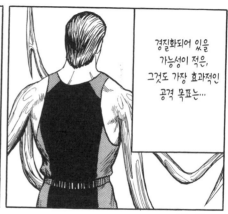

경질화되어 있을
가능성이 적은,
그것도 가장 효과적인
공격 목표는…

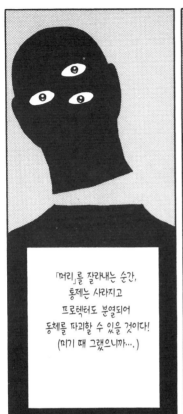

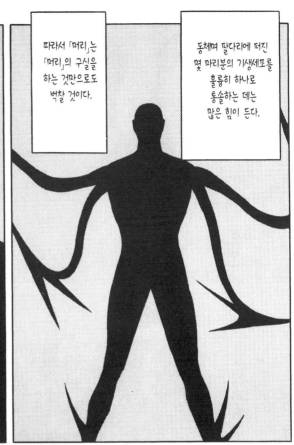

따라서 「머리」는 「머리」의 구실을 하는 것만으로도 벅찰 것이다.

동체며 팔다리에 떨어진 몇 마리분의 기생세포를 훌륭히 하나로 통솔하는 데는 많은 힘이 든다.

「머리」를 잘라내는 순간, 통제는 사라지고 프로텍터도 분열되어 동체를 파괴할 수 있을 것이다! (미기 때 그랬으니까…,)

승부는 단 한 번! 힘과 스피드 모두 절대 우위인 「고토」의 목을 완전히 잘라내려면!

빨리 안 하면 네 몸이…!

오른쪽이는 아직인가. …빨리 하지 않으면…

불을 들이대면
표면세포만 반사적으로
「고토」의 통제를 벗어나지.
결국 균형이
무너지게 돼!

전에도 말했듯이
신이치,
뜨끔하게 만드는 거야.
불을 써서.

으... 안 되는데....
벌써 의식이 흐려진다....
서둘러야 해....

좀더 이쪽으로....
아직 각도가 안 맞아.

그렇게 내가
무섭냐!!

어이,
이 녀석!!

아무리 사방에
퍼져 있어도
소용없어!

도망칠
궁리보다는
싸울 궁리를
해야지!!

거긴가!!
동체!!

내… 목소리!!

500

지금이다!!
던져!!

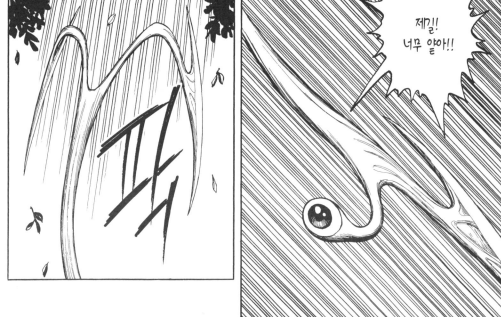

틀렸다!!

실패다!!

오지 마,
신이치!!

뭐?!

사 삭

오른쪽아!!

이거…
놀랍군….
제법인데…!!

저쪽이다….
동체를
쓰러뜨려야….

하지만…
지금 그쪽으로…!

빨리 도망쳐,
신이치!!
이놈은 아직도
건재하다!!

하지만
오른쪽아…

오지 마!
둘 다 죽을
필요 없어!!
빨리 가!!

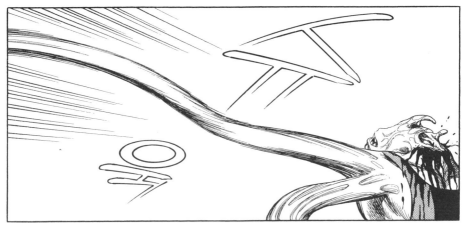

으앗!!

이걸로...

이별이다...

잘 가라,
신이치...

네... 뇌를
뺏지 않아서
다행이었어...

맨 처음에
너를 만나...

신이치...,

덕분에 친구로서...
여러 가지 즐거운...
추억을...

끄…어어어!

그런데도
고독감만은
이토록 뚜렷하게….

이상하게
졸려….

의식이
흐려진다.

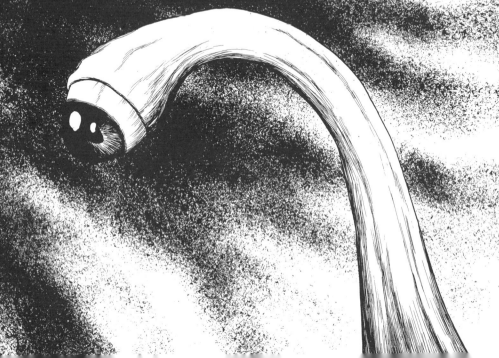

죽은인가···.

푸아!

우이이이윽…

으…
으….

헉헉 허억….

어어어어
어어….

으어…
어어어.

으어어어~
어어어어~
어어어어~!

제58화 ―끝―

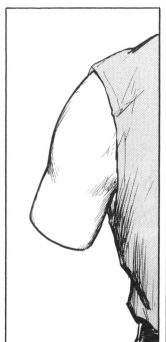

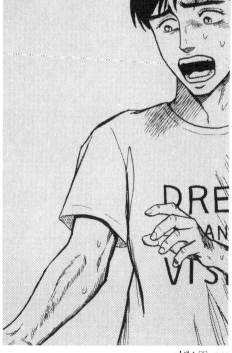

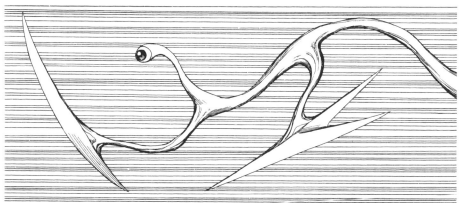

오른쪽아….

우리 일본인들은 말이죠,
물과 평화는
거저 얻어지는 거라고
생각하지 않습니까ー.

말도 아닌 소리하고
자빠졌네….

덜컹
…

괭이들이
또 지랄하나.

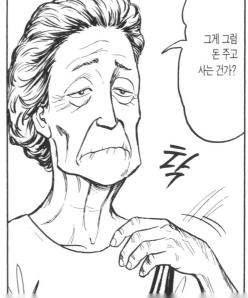

그게 그럼
돈 주고
사는 건가?

!!

쉿!

끄륵

아…
죄, 죄송합니다.
물 좀 얻어
마실까 해서….

아니에요…. 하지만…

도… 도둑이야…!

아닙니다!!

아니, 저… 물도둑이니까요.

뭐어?!

그렇게 부르셔도… 되고….

하기사 우리나라 사람들은 물이랑 평화는 거저 얻는 건 줄 아니까.

물도둑도 도둑인가…?

아…
죄, 죄송합니다.

도둑이면 냅다 튀든지,
무슨 도둑다운
액션을 뵈줘야
되잖아!

뭘 그리 멍청히
서 있어?!

이봐,
총각!

기다려 봐,
총각!

네…?

그럼… 저 이만
실례하겠습니다.
폐를 끼쳐 죄송합니다.

오른팔은
옛날에 떨어진 것
같은데?

거기 말고
머리.

아… 아뇨.
이건….

많이
다쳤구만?

냉큼 들어와서
문 닫아!
벌레 들어와.

아무튼 들어와서
이리 보여 봐!

네?
…하지만…

괜찮습니다.
이제 피도 멎었고….

아….

…세상에 그렇게
예의바른 도둑이
어디 있어?

게다가…
울상을
해 가지고.

나는 워낙
사람 상대하는 일을
오래 해놔서,
한 번 척 보면
어떤 인간인지
대강 알지.

꽤 많이 다쳤네.
…세상에 이런
고약한 놈이 다 있나.

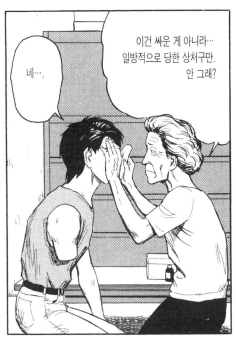

이건 싸운 게 아니라…
일방적으로 당한 상처구만.
안 그래?

네….

배고프지?
총각.

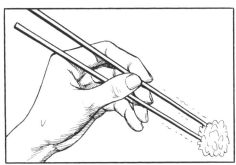

……

오늘 밤엔 여기서 자.

이 은혜는 꼭….

처음뵙는 분께 이렇게까지 신세를 지다니… 여러 모로 정말 고맙습니다.

뭐… 그리고 나도 심심하거든

이 밤중에 가긴 어딜 가! 이 근처엔 호텔도 없는데!

네?! 그렇게까지 염치없는 짓은….

조카도 없어.

아… 아주머니 께선….

너 같은 손자 둔 적 없다!

저… 할머니께선 이 집에서 혼자….

미츠요라고 불러.

……

신이라고
부르마.

신이치라
….

실례했습니다.
저는…
이즈미 신이치라고
합니다.

엇차.

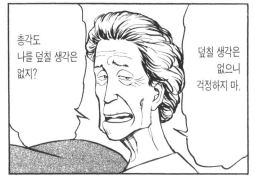

총각도
나를 덮칠 생각은
없지?

덮칠 생각은
없으니
걱정하지 마.

그럼…
오늘은 이만 늦었으니
잠이나 잘까?

…나야 좋지만.

삐
Oh

저….

그럼 말야, 신이 총각.

정말 고맙습니다. 이 은혜는….

네?

동동동

동동동동

네….

가는 데만 거진 10리 길이라 힘없는 늙은이 혼자 가기엔 짐이 무겁거든.

오늘 뭘 좀 사러 읍내에 가야 하는데, 같이 갈까?

아뇨….

아니면 오늘 다른 예정이라도 있나?

그 정도 보답은 해 줘야지?

어?
저걸 끌고 가면
혼자서도….

아뇨….

뭐라고?

새 애인인가?

…어허, 그건 누구여, 미츠요 씨?

헤에… 조카라?

웃기지들 말어! 우리 조카 신이치가 놀러온 거라구!

뭘 그리 힐끔힐끔 봐!!

으힉.

나중에 말해 주마.

이상한 일요?

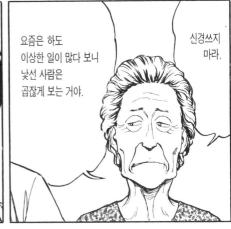

요즘은 하도 이상한 일이 많다 보니 낯선 사람은 곱잖게 보는 거야.

신경쓰지 마라.

난 원래 이런 촌구석보다 도시가 좋아. 원래 도시에서 몇십 년을 물장사로 잔뼈가 굵었으니….

이젠 많이 익숙해졌다만.

그런데 죽은 우리 영감이 「노후는 농촌에서 보내고 싶다」느니 개떡 같은 소릴 해서 이 꼴이 된 거지.

그러다
안심하고 잘라치면
버리고 가지.

동네 사람들이
며칠씩 밤 새가며
지키는데…
지키는 날은
또 안 와요.

어…?
그런 것도
몰라…?

그게…
뭔데요?

네?

이것도
머피의
법칙이라는
건지.

미츠요 씨는
입은 좀 험해도
무척 친절한
사람이었다.

네…
죄송합니다.

하지만
내가 인사를 하고
떠나려 하면
기관총처럼
말을 쏟아내
어떻게든
붙잡아두곤 했다.

오른쪽이를 잃고
앞으로 어떻게 하면
좋을지 모르는 채
그저…

며칠이
지나 버렸다.

오른쪽이라는
친구가 있었던 것.

오른팔을
잃은 이유…

하지만 언제까지나
얹혀지낼 수는 없다.
내일은 집에 돌아가
이번에야말로
아버지한테
털어 봐야지.

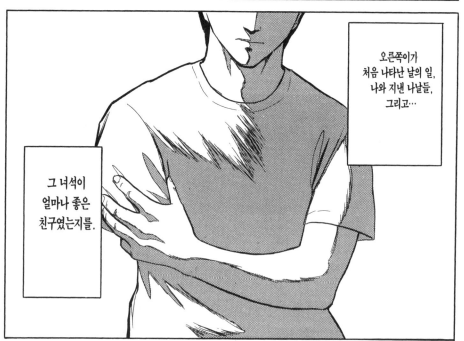

오른쪽이
처음 나타난 날의 일,
나와 지낸 나날들,
그리고…

그 녀석이
얼마나 좋은
친구였는지를.

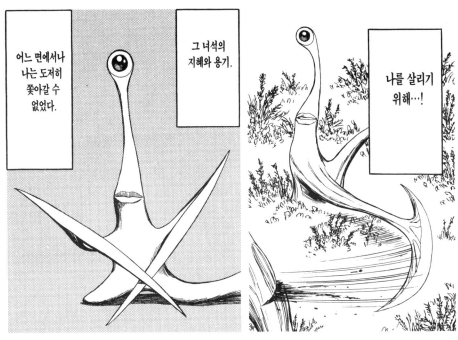

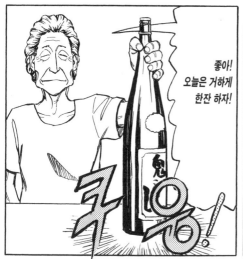

좋아!
오늘은 거하게
한잔 하자!

하긴 평생
데리고 살 수는
없는 노릇이니.

그래…
할 수 없지.

뭐어?!
열일곱이나 돼 가지고
술도 못해?!
이상한 친굴세.

네?
하지만
저는 술을….

아하하하
하하하.

오른쪽아…

오른…

끄윽….

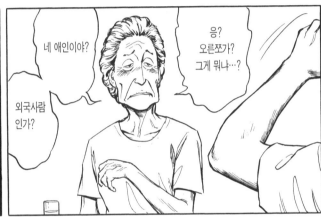

네 애인이야?

응?
오른쪽가?
그게 뭐냐…?

외국사람
인가?

으… 응….

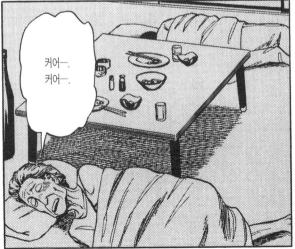

커어ㅡ.
커어ㅡ.

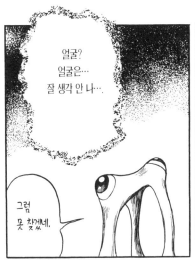

얼굴?
얼굴은…
잘 생각 안 나…

그럼
못 찾겠네.

친구라…
얼굴은 어떻게
생겼는데?

찾는다…?

찾는 것…
그래,
내 친구를…
찾고 있어.

뭐?
죽었어?

응…

그래, 생각났어…!
맞아… 그 녀석은…
그 녀석은…
이미 죽었어….

아니, 저…
잠깐만… 맞다,
너하고…
닮은 것 같은데….

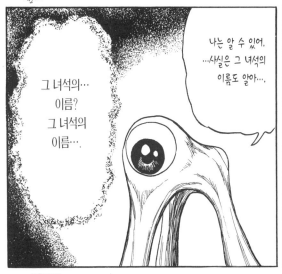

그 녀석의…
이름?
그 녀석의
이름…

나는 알 수 있어.
…사실은 그 녀석의
이름도 알아….

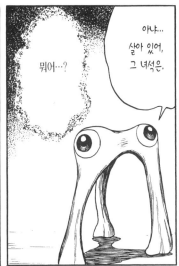

아냐…
살아 있어,
그 녀석은.

뭐어…?

헉헉헉…

오른쪽아!!

뻐ㄹ 퍽

앗?!

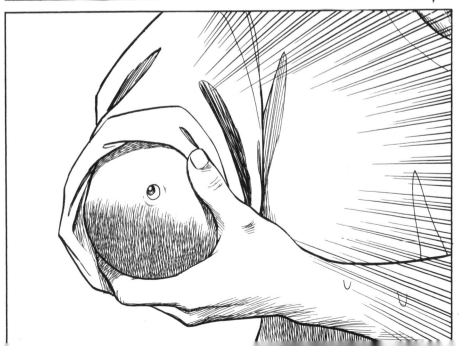

오…
오른쪽아!!

세포가 조금
남아 있었구나!!

오른쪽아,
나야!!
알아
보겠어…?!

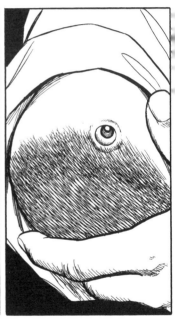

잠 좀 자자….

시끄러 죽겠네.
…무슨
잠꼬대야….

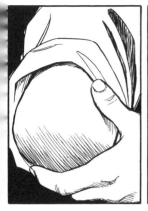
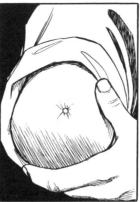

아….

작은 「눈」 하나는
만들 수 있어도
생각을 하거나…
말을 할 정도는
아닌 거야….

틀렸어….

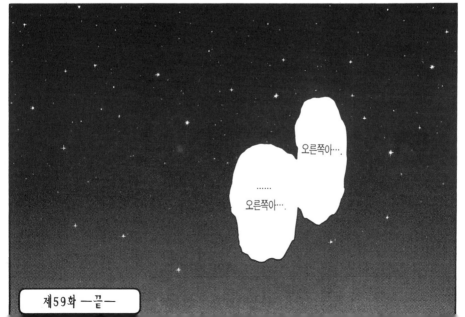

오른쪽아….

......
오른쪽아….

제59화 ─끝─

제60화 　　각　오

요 며칠 동안
오랜만에 즐거웠다.

미츠요 씨도
건강하세요.

그럼
잘 가라….

갈게요.

부
ㅣ
콩

세워!

！

자네는 먼저 가서 남부지구에 연락해

정말 미츠요 씨의 조카 맞나?

어이, 자네!

뭐지?

그야 아무려면 어떻수? 오늘이면 돌아갈 앤데.

아뇨, 실은…

……

뭐라고…?!

그렇게는 안 돼!

예전과는 다른 뭔가가….

…요 근래에 이 근처에서만 기분 나쁜 일이 너무 많이 일어나!

누구 짓이건 그냥은 못 넘어가!

예전에는 못 보던 사람도!

거기다 이번엔 살인까지!!

뭐…?!

알아듣게 좀 말해 봐!

대체 왜 그리 흥분하고 난리야!

사람도 없는 차 두 대의 충돌사고.

누군가 버리고 가는 시커먼 쓰레기더미….

자네,
잠깐 같이 좀
가 주겠나?

뭐이야?!

!!

얼굴은
확인해야죠.

일단…

뭐가 어째?
그게 무슨
소리야?!

……

잠깐만!
있어 봐!
나도 갈 테니.

참나!

아무튼
그 기타야마 씨네
아들이 죽었다는
장소가 어디요?

장소….

타지 사람인 건
확실하지?

그 범인이
어떤 놈이던가?

여보게.

얘는 어린애잖아….
게다가 외팔이가
어떻게 사람을 죽여?

혹시 이런….

…….

얘는 줄곧
우리집에
있었대두!

그러게,
내 뭐랍디까?!

…….

사람이
아니라니까!!

타지 사람이고,
나발이고 하는
문제가 아니라…

그…
그러니까,

키만도 3미터가
넘었다구!!

절대로
잘못 본 게
아니야!

눈만 해도
세 개가 넘었어!!

발이…!
그래, 앞발이…
네 개에다!!

처음엔
곰인 줄 알았어!
하지만 산짐승도
아니야!!

…「고토」?!

허허….

APOPLEXY

여기서 엎어지면
코 닿을 곳에서
괴물이 사람을
잡아먹었다니까!
다음엔 누구 차례일지
모른단 말이야!

그래!
비웃으려면 비웃어!
하지만 이 피!
이 피는 몽땅
기타야마의 피라구!!

쳇.

저…
죄송합니다만.

엎어지면
코 닿을
곳이라고?

2, 3킬로로…
겨우!

그래… 여기서
2, 3킬로 떨어진
산길이라네.

아까 말씀하신
차 두 대의
충돌사고란 게
이 근처에서
일어났나요?

…….

아뇨….

자네…
뭔가 알고 있나?

상당히
걸은 줄 알았는데
얼마 떨어지지도
않았어….
한자리를
빙빙 돌고
있었던 건가…!

……

경찰이
왔는데요.

그렇다면…
완전히 내 탓이다!
나 때문에
이곳 사람이
죽은 거다…!!

「고토」다!
틀림없어!!

터, 턱도 없는
소리 마쇼!
내가 왜
그 끔찍한 곳엘…!

기타야마 씨던가?
그 사람이
피살됐다는 현장으로
일단 안내해 주시죠.

흥…
그래서 뭐요…

여러분,
최근 이 부근에서
특히 수상한 사람을
보신 적은 없습니까?

아무리
그래도….

그러니까
여럿이서
간다는 것
아닌가.
그럼 괜찮지?

나참!
앤 아니래두.

……

APOPLEXY

사냥꾼! 사냥꾼을 불러야 해!

앞다리만 네 개! 아니… 더 될지도 모른다구!

사람이 아니라고 몇 번 말했어?!

이 마을 사람이 아니라지…? 미안하지만 여기 며칠 더 있어 주게나.

아, 그리고 자네는…

우선 현장부터 확인하고 나서….

흥! 생사람 잡고 있네.

하긴 뭐… 할 수 없는 건가?

무슨 일이라도 생기면 안 되니까 말이야.

허억!! 으, 으아아!!

끔찍해라…

!

히야~.

으아아아
아아악!!

인간
도살사건…!!

맞아요.
언젠가 이런
사건이….

그렇다니까!
이걸 보면
모르쇼?!

사람이…
아니라고요?

다시 한 번
묻겠습니다….
보셨다고요?

예.

유해동물
소탕인가…!

살인사건
수사가
아니라…

우선 인근에
비상선을 쳐야겠군.
…그리고
사냥꾼을 모아.
되도록 많이!

…아아,
그래요?
네….

알았어요….
네….

오늘하고 내일은
문단속을 단단히 하고
가급적 집밖에
나오지 말라는구나.

…엽총으로는
못 죽여요….

…그나저나
사람을
잡아먹는다니
원….

내일이면 사냥꾼들이
떼거지로 몰려온다니까,
그 괴물도 잡히겠지.

총이
아무리 많아도
그놈은
못 잡아요.

뭐…?

나를…
쫓아온 거예요.
나를 죽이려고….

그놈이라니….
그 괴물이랑
아는 사이냐?

푸하하하 하하하!
얘가 무슨 소리야?

신이
총각….

내가 그놈을
끌고 온 거예요….
그래서 사람이 죽었고!
그냥 놔두면
내일은 더 많은 사람이
죽을 거예요!

이건 내
책임입니다!

더 이상 나만 살자고
달아날 수는 없어요!

어떻게든 살려고,
…살아남아 보려고
했죠….

나를 위해
죽은 친구도 있으니…
하지만…

……

어째서…?

하나도
창피한 게
아녜요.

나 하나라도
살자고
도망치는 건…

살면
되잖니….

달아나면
어때?

내일 많은 사람들이
그 괴물과
맞닥뜨리기 전에
제 목숨부터
내놔야 한다구요!!

미츠요 씨.
전 아직…
제가 할 수 있는
일을 다 하지
않았어요!!

이 멍청아!!

까불지 마!!

대체 네가 뭐야?
목숨을 내놓는다고?
너 같은 어린애가
뭘 한다고 까불어,
까불긴!

목숨을
내놓는다고?
그런 말은
함부로 하는 게
아냐!

암만 괴물이래도 빌딩만큼 크진 않을 거 아니니? 총만 많이 있으면…

아무튼 이런 건 어른들한테 맡겨.

…사정이야 내 알바 아니다만.

또 그런다!

저 혼자 싸우는 게 나아요.

그러니까 말하자면…

동물적인 뛰어난 능력…
이를테면 야성의
육감 같은 것이
필요하거든요.

?

드르륵 드륵 드륵

......

......

뭘 하는
거니…?

얘…

문 닫는다?
닫아도 되지?

얘…

…모기
들어오겠다.

닫는다아!!

무슨 심산인지 원…

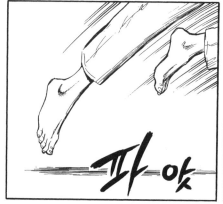

파 앗

......

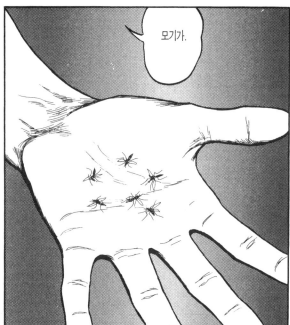

모기가.

하지만!
그렇다고….

그… 그래.
너한테는 보통 사람과
다른 어떤 힘이
있다고 치자.

그래서
어쨌단 말이야!

....

아무튼 안 된다면 안 돼!
내일 하루는 이 집에서
한 발짝도 못나갈 줄 알아!!

...마지막으로
이런 친절한 분을
만날 수 있어
다행이었어요....

미츠요 씨...
여러 가지로
고마웠습니다.

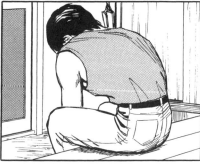

정 가야겠니?

아무리 생판 남이라도
한 번 인연이 생기면
몰라라 할 수 없는 게…
그게 인간인데.

너한테는
마음에 걸리는…
걱정되는
사람도 없니…?

여러 방향으로
생각을
굴려야 해…
포기하면
만사 끝장이니까….

그래 됐다…
앞으로 너한테
시간이 얼마나
남았는지 몰라도…
아무튼 많은 것을…

그런데도
너는…

……

어떤 일이 있어도
결코 포기하지 말고
임기응변을
발휘해야…

무기라거나.

뭔가 쓸 만한 게
없겠니?

잠깐만.

그럼 이걸….

…….

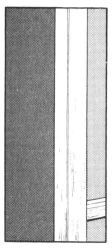

뭐,
없는 것보단
낫겠지.

하필이면
다 녹슨 걸…

영감… 그 애를
돌봐주구려….

……

한눈에
알아볼 수 있는
모습을 하고 있다면
좋겠는데.

문제가 하나 있다.
만약 「고토」가
전혀 다른 모습을
하고 있다면
분간할 재간이 없다.

제60화 ―끝―

제61화

이형(異形)

달만 없으면
진짜 캄캄하겠네…

야산의 밤은
조용할 줄
알았는데,
영 아니네.

벌레나
동물들의
울음소리며
움직이는
소리….

이런 소음 속에서
「고토」의 숨소리를
가려 들을 수
있을까….

…아니,
그게 아니야.

이건
오른손으로 쓰도록
길이 들어 있어….

그나저나
이거 진짜
안 든다….

그게 그거지, 뭐.

후후…

쳇.
차라리 식칼을 들고
올 걸 그랬나?

신이치의 머릿속에
승산이라고 할 만한 건
아무것도 없었다.
아니, 삶에 대한 집착이나,
죽음에의 공포, 분노,
슬픔 같은 감정들마저 마비되어
아무것도 느낄 수 없었다.

그러나
발걸음만은
쫓기듯
「그곳」을
향했다.

지금까지 너무나
많은 사람들의
죽음을 봐 왔고,
내일이면 자기가 끌고 온
괴물에 의해
더 많은 죽음을
봐야만 한다.

지금 그를
움직이는 것은
어려움에 맞서려는 용기도,
「인간」을 대표해서
싸워야 한다는
사명감도 아니다.

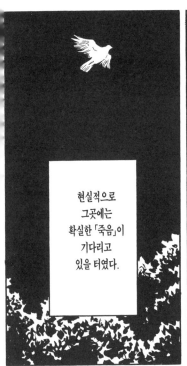

그러는 사이,
「슬슬 내 차례가
올 때도 됐다」,
「나만 살아 있는 것은
뭔가 이상하다」라는
묘한 평등의식과

현실적으로
그곳에는
확실한 「죽음」이
기다리고
있을 터였다.

또한 화근이라는
죄책감이 더해져
「한 판 붙고 말자」
싶은 마음이 들었다.
즉, 굳이 말하자면
도피에 가까웠다.

「가보면 혹시
무슨 수가
나지 않을까…」

하지만 신이치는
어쩐지 낙관석인
기분마저 들었다.
이유는
그 자신도 모른다.

물론 절대
그럴 리가
없겠지만….

야성의 육감을
더하더라도
기적에 가까운
일이었다.

그것은…
넓은 산속에서
초인적으로
예리해진
신이치의
오감에—

인간과 기생생물은
뇌파로 느낄 수
없으므로
눈으로 서로를
확인하는
수밖에 없다.

하지만
신이치가 먼저
「고토」를
발견했다!

자나…?

하지만 그것이 「고토」임에 틀림없다는 것은 알 수 있었다.

마지막으로 본 모습과는 많이 달랐다.

…….

그래…. 기생생물도 잠은 자니까!

역시 자고 있어…

하마터면 환성을 지를 뻔했다.

오른쪽이도 「완전히 정지한 4시간」 외에도 툭하면 잤잖아! 자는 동안 덮치면 되는 거였어!

오른쪽이가 없으니까 도리어 들키지 않고 이렇게 가까이 올 수 있는 건가…

내가 기생생물이 아니라서…

아니… 하나 더 있어.

아까부터 왠지… 어떻게든 될 듯한 예감이 들었던 게 이거였나?

너는 죽지 않고 「고토」의 몸속에 흡수되어… 살아 있는 것 아니니?

혹시나… 만에 하나라도…

오른쪽아….

오른쪽아! …하고 지금 부르면 네가 대답해 줄 것 같아….

그 꿈을 꾸고부터 나는…

뭣보다
이런 걸로
잘릴지도
알 수 없고….

음~.
이거 도무지
쉽지 않네.

그렇거나 말거나
「고토」의 목부터
자르고 봐야지.

아냐, 아냐!
일이 그렇게
잘 풀릴 턱이
없어!

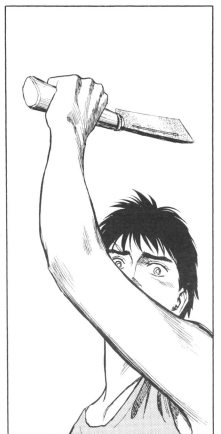

…혹시 자는 사이에는
목덜미까지
전부 경질화하고
있다거나….

에이!
고민해 봐야
똑같아!

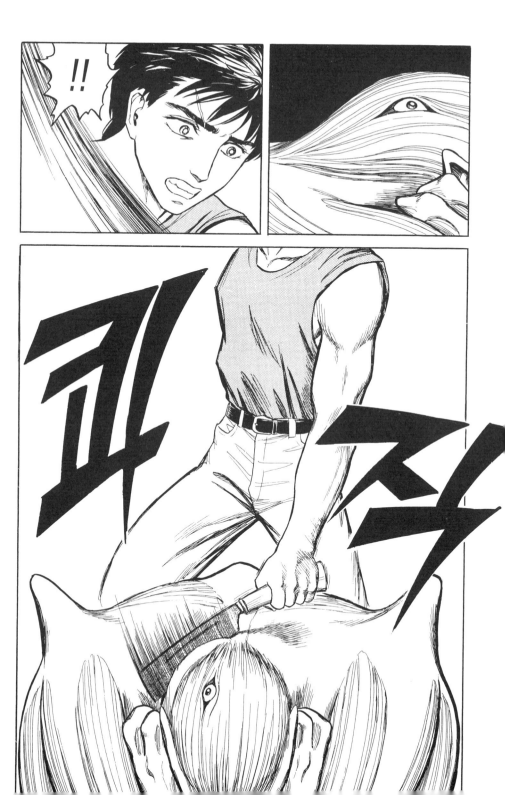

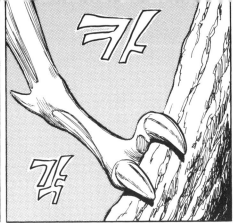

......

!

빠직

힉!

그래!
그렇고말고!
싸울 거다!!

인간 주제에
나한테
싸움을
걸어?!

반드시 부상을 입혀놓겠다!

승산이 없는 줄은 알아! 하지만 내일까지 조금이라도 네 힘을 빼놓고…

가만….

흐흠. 이렇게 어두운 숲속이니 그리 쉽게 찾지는 못하겠지.

싸울 수 있어! 해볼만하잖아! 서둘지 말고 차근차근 작전을 세우면 돼!

몸 크기도 내가 훨씬 작으니 잘만 숨으면 내가 적의 위치를 파악할 수 있을 거야!

파워나 파괴력으로는 절대 못 당하겠지만… 오감의 예리함은 내가 낫지 않을까?

아무튼 많은 것을… 여러 방향으로 생각을 굴려야 해…

오른쪽아, 가르쳐 줘!

어쩌면 좋지… 어떻게 하면 저놈의 몸에 상처를 낼 수 있을까….

어떤 일이 있어도 결코 포기하지 말고 임기응변을 발휘하는 거야.

그래, 포기하지 마! 생각해. 무슨 수가 있을 거야! 무슨 수가….

하지만… 이젠 그 녹슨 손도끼도 없는데…. 목을 자르는 건 불가능해.

잘 때라면 몰라도 몸을 움직이고 있을 때는 오른쪽이가 지적한 대로 미리(목)기 약점일 거야!

…목덜미… 역시 목덜미다.

깊은…!

되도록 크고 깊은 상처를….

…이기는 것은 무리라 쳐도 상처를…

나무에다 화풀이를 했나…?

이제 곧 불러주마.

조금만 기다려라….

아직도 찾고 있다…. 꽤 떨어진 곳이군.

끄으응.

후ㅡ.

찍찍찍

좋아…
와라!

저벅

저벅

저벅

이런 걸로 저 놈의 몸을
뚫을 수 있을지는
모르겠지만,
내 몸무게를
실어서 해봐야지.

저벅

그러나 위에서 보면
확실한 「구멍」이 있다.
그 구멍으로
목덜미에서 동체로
식도며 기관이 지나가고 있다.

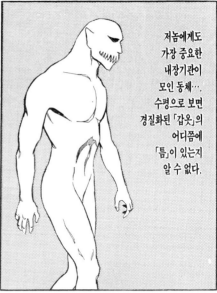

저놈에게도
가장 중요한
내장기관이
모인 동체…
수평으로 보면
경질화된 「갑옷」의
어디쯤에
「틈」이 있는지
알 수 없다.

목표는
아까 손도끼로
찍은 그 위치.

문제는 각도아…
바로 위보다는
조금 비껴
내리꽂는 게
좋겠다.

그 「구멍」으로
이걸…

아니?!

지금이다!!

아까 그 손도끼가
그대로
찍혀 있어….

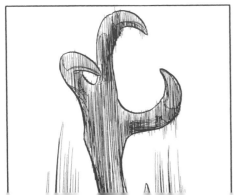

우왓!

ㅇㅇ…

크억!

......

지난번에는
꼬리 잘린 도마뱀처럼
잽싸게 도망치더니….

너였군,
애송이….

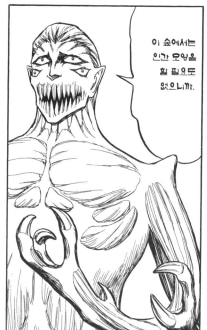

이 숲에서는
인간 모양을
할 필요도
없으니까.

고작
인간 한 마리가
뭘 할 수
있다는 거지?

싸움을
계속하자
이거냐?

흥!
역시 괴물이야….
어줍잖게
인간행세를 하는 것보다
그게 훨씬 어울린다!

물론 싸움은
나도 원하는 바다.
…상대가 너라면.

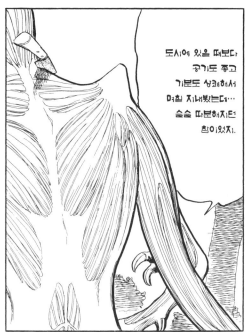

도시에 있을 때보다
공기도 좋고
기분도 상쾌해서
며칠 지내봤는데…
슬슬 따분해지던
참이었지.

!

오른쪽아!!
거기 없니?!

오…
오른쪽아!!

안됐지만…
여긴
나 혼자다.

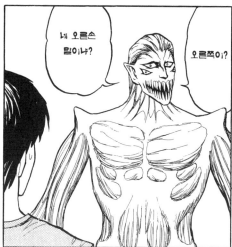

네 오른스
말이냐?

오른쪽이?

이게!!
잘도 오른쪽이를!!

이…

이 웃기는 도구하며….

네 전법은 도우지 오르겠군.

빡

악

깽!

부들

인간끼리 하는 주먹다짐을 본 적은 있지만 그런 것은….

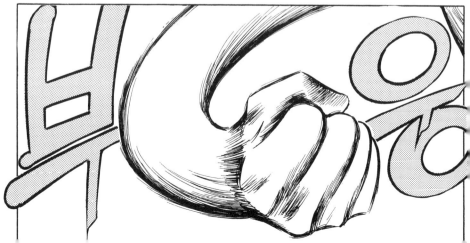

부웅

욱!

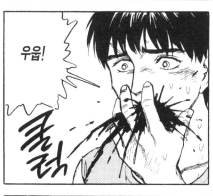

우읍!

커헉!

크어어억!

헉헉···!

지난번의
그 쓰레기더미
…?

뭐야,
여기는…

아….

으….

이런 곳에서
나는…
죽는 건가.

타… 타무라
레이코…?

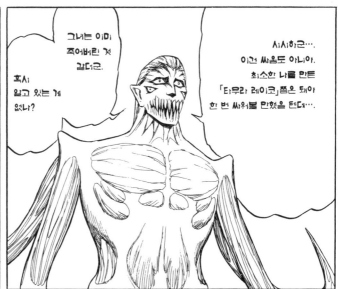

그녀는 이미
죽어버린 것
같더군.

혹시
알고 있는 게
없나?

시시하군….
이건 싸움도 아니야.
최소한 나를 만든
「타무라 레이코」쯤은 돼야
한 번 싸워볼 만했을 텐데….

…….

내가 실험을 통해
만들어낸
약한 「동족」의
한 사람이지만…
무적이다.

「고토」와는…
싸우지
않는 게 좋아.

무적이다.

약한 「동족」의
한 사람이지만,

약한
「동족」의,

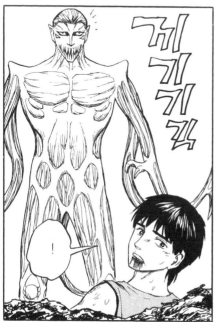

!

무적이지만
어딘가
약하다….

약해…?

상관없어….
너는 이제 죽어라.
죽어서 내 주위와
같은 쓰레기가 돼라.

난들 알아?

어이! 대체 이 꼭두새벽부터 산속에 웬 백차가 저렇게 많아!

정지! 거기 트럭 세워!

인간들 간의 분쟁인가?

뭣들 하는 거지….

차에서 내려! 그 짐은 뭐지?

이제 몇 초도 안 남았어! 죽는다구!! 당장!!

결코 포기해선 안 돼.

머리 굴릴 시간이 어딨어!

머리를 굴려봐.

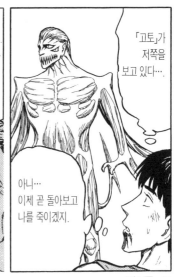

「고토」가 저쪽을 보고 있다….

아니… 이제 곧 돌아보고 니를 죽이겠지.

그때…

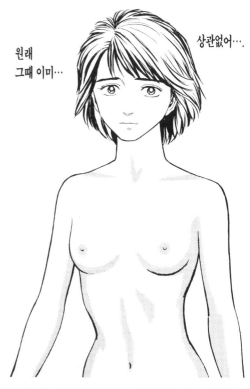

원래
그때 이미…

상관없어….

오늘은
좀 피곤해서….

다음에 하지.
방해꾼이 너무 많아.
게다가…

죽여야겠다.

53명이
죽었어….

좀 피곤해서….

다음에 하자….
오늘은 좀
피곤해서….

질 리가 없어.

…아직도
보고 있어….

저 피는
뭐지…?

저 피는…

폐기물
무단투기범이군.
하지만 지금은
그게 문제가 아니야!

아닙니다,
형사양반.

사람이
죽었다니까,
갈가리 찢겨서.

이 쇠막대…
끝은 어떻게 돼 있을까?
뾰족할까….
아니… 꼭 뾰족하지
않아도 돼.

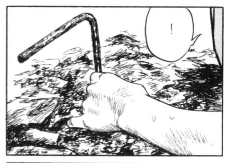

!

이건…
쇠막대기…?

어쩌면 그게
오른쪽이가 말하던
프로텍터의
「틈새」가 아닐까?

그 피는
「고토」의 피였을까?
아니면 다른 사람의
피가 튀어서
묻은 것뿐일까…?

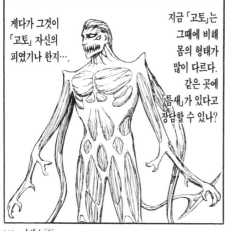

게다가 그것이
「고토」자신의
피였거나 한지….

지금「고토」는
그때에 비해
몸의 형태가
많이 다르다.
같은 곳에
「틈새」가 있다고
장담할 수 있나?

이 막대로
프로텍터의
「틈새」를 찔러?
그럴 수가 있을까…?

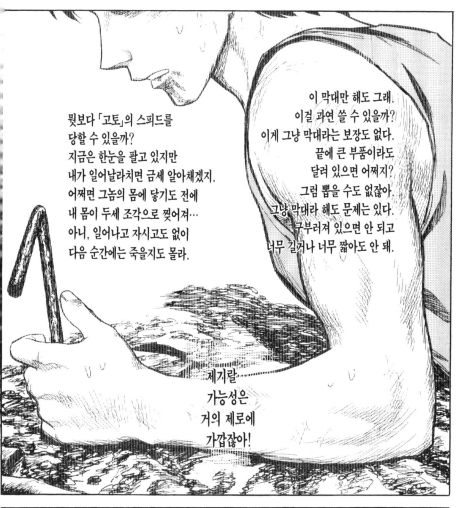

뭣보다 「고토」의 스피드를
당할 수 있을까?
지금은 한눈을 팔고 있지만
내가 일어날라치면 금세 알아채겠지.
어쩌면 그놈의 몸에 닿기도 전에
내 몸이 두세 조각으로 찢어져…
아니, 일어나고 자시고도 없이
다음 순간에는 죽을지도 몰라.

이 막대만 해도 그래.
이걸 과연 쓸 수 있을까?
이게 그냥 막대라는 보장도 없다.
끝에 큰 부품이라도
달려 있으면 어쩌지?
그럼 뽑을 수도 없잖아.
그냥 막대라 해도 문제는 있다.
구부러져 있으면 안 되고
너무 길거나 너무 짧아도 안 돼.

제기랄…
가능성은
거의 제로에
가깝잖아!

…그래도
하지 않으면…

확실하게
제로다!!

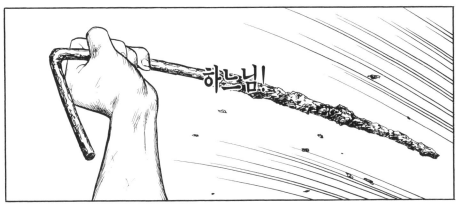
하느님!

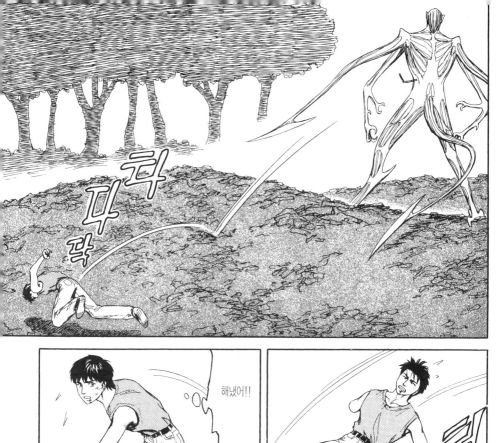

해냈어!!

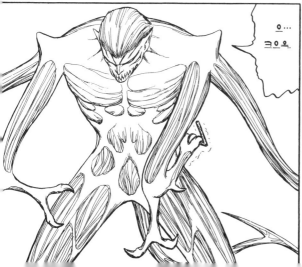

오...
크으윽.

인간 주제에…
인간 주제에…

어, 어이!
저게 뭐지?!

캬아
아아
아악

부들 부들

으아아아!

용서 못해!

헉헉.
헉헉.

윽.

저, 저거다!!
저게 그 괴물이다!

어서
지원요청해!!

게다가 이렇게
환해졌으니…
더 숨을 수도 없어.

하지만
이제 한계다.

갈비뼈가
부러졌나…?

왔다!

파
바
바
밧

저 정도 상처는
대수롭지 않은 건지
몰라도…
어찌됐건 한 방
먹여주긴 했어!

하지만…
잘된 거야.

!

파다밧

아까 그것은…
무작정
찍은 건가….

무시무시
하군….

분노의 화신,
그 자체 같다.

어떻게
프로텍터의
「틈새」를
알았지?

뭐가?

겨우 그런 것에 모든 것을 걸었다 이건가?

흐흥, 겨우 그거가!

…전에 거기에 피가 묻어 있던 것을 보고…

죽어라!

하지만 고작 인간 한 마리한테 당한 것만은 분해서 견딜 수가 없다!

잘했어! 칭찬해주마.

…이번에야말로 …정말 끝이군….

누구야…
「미기」냐?
나서지 마라….
나중에 해!

뭐야…?

?

……

우드득
우드득

왜 저러지?
…굳이 새 날을
만들고…

쳇, 무슨
속셈인지….

그래…
이제 상관없어.
다 끝났으니까.

기왕 죽일 거면
한 방에 끝내줘.

질질 끌며
괴로워하긴
싫으니까….

이런 젠장!
날이 훤히 보이네.

사악

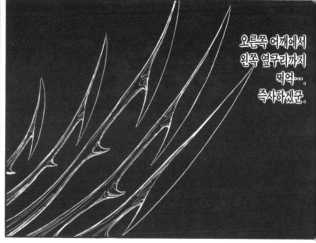

오른쪽 어깨에서
왼쪽 옆구리까지
쩌억….
즉사하겠군.

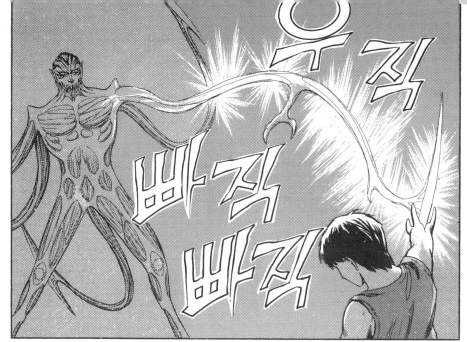

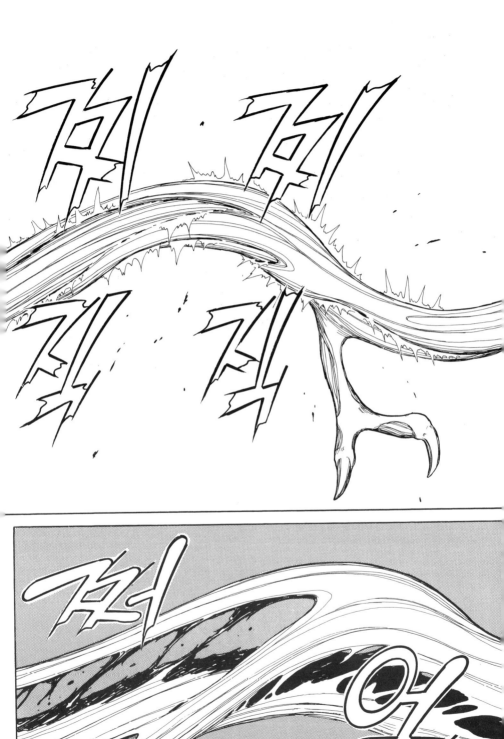

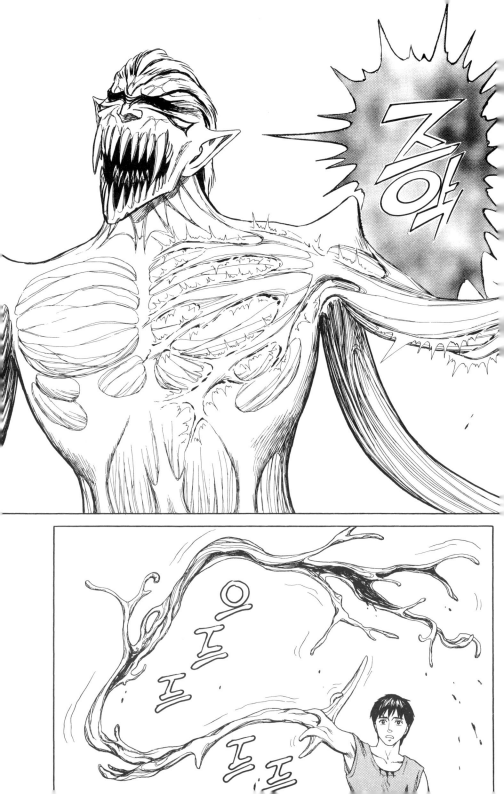

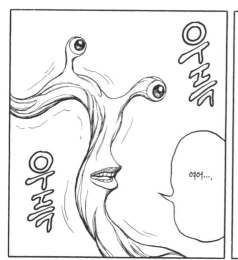

여어….

오…
오른쪽아…!!

?!

나를
거역해!!

이럴수가…!
기껏 살조각
주제에…

닥쳐!!

뭐가
어쩌고 어째?
네놈들까지!

꾸물

꾸물

그래!

이거나 빼!!

하하…
오른쪽아….

엄청난
줄다리기로군.

파
밥
박

쿠
오
오
!

불
끗

불
끗

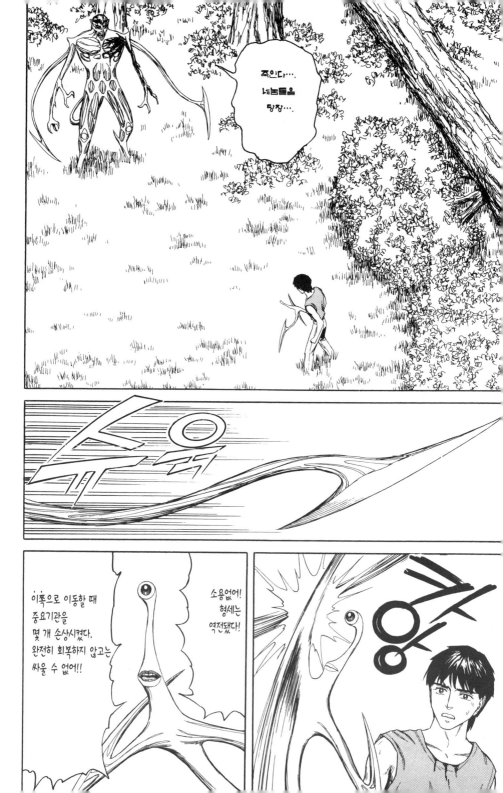

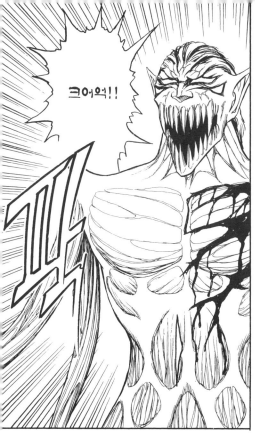

크어억!!

빌어먹을…
네놈이….

오ㅍㅍㅍ
ㅍㅍㅍ

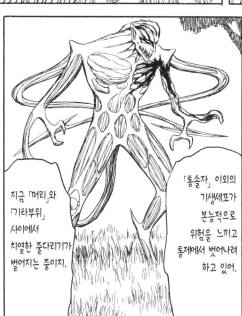

지금 「머리」와 「기타부위」 사이에서 치열한 줄다리기가 벌어지는 중이지.

「통솔자」 이외의 기생세포가 본능적으로 위험을 느끼고 통제에서 벗어나려 하고 있어.

대체 아까부터 저놈 몸속에서 무슨 일이 일어난 거야?

「반란」이야.

독…?!

너, 아니었어?
저놈의 몸속에
독을 부어넣은 게….

하지만
왜 갑자기….

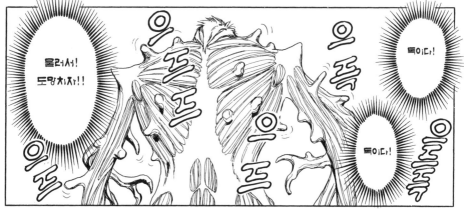

물러서!
도망치자!!

독이다!

독이다!

닥쳐!!

너 같은
놈한테…!!

용서 못해….
용서 못해…!!

엄청난 분노….
하지만 이 싸움에서
실수를 저질렀기
때문만은
아닐 거야.

즉, "이 종을
잡아먹어라".

저놈의 몸에
충만한 분노의
정체….
그것은 뇌를
차지하지 못한
내게는 존재하지
않는 감정….

우왓!

크아 아아 았!!

그 결과,
싸움만을 추구하는
전투머신이 완성된 거다.

여러 마리가
모임으로써
그 감정은
더욱 증폭되어...

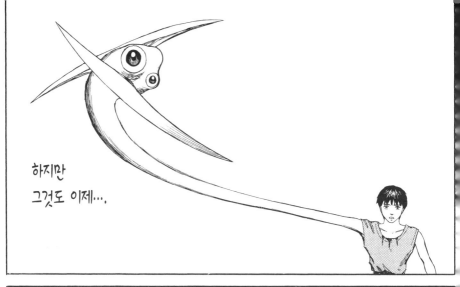

하지만
그것도 이제···.

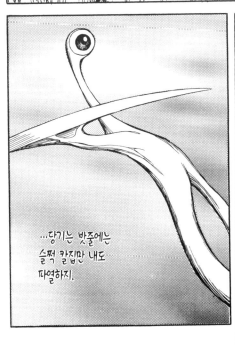

...당기는 밧줄에는
슬쩍 칼집만 내도
파열하지.

오른쪽아…!

그 이후 내 의식은 거의 잠자고 있었어….

그러니까 조금전까지 적이었던 나조차 신체의 일부가 되어 흡수됐던 거지.

몸속에 독이 들어오기 전까지 그놈은 완전한 하나의 생명체였어. 실제로 「머리」의 통제력은 대단했지. 다른 기생세포를 순식간에, 그리고 완전히 잠재워 마음대로 조종했으니까,

하지만… 그건 마치 노예생활 같은 거잖아?

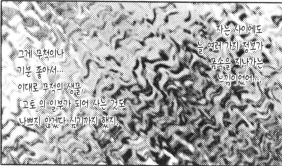

그게 무척이나 기분 좋아서… 이대로 미지의 생물 「고토」의 일부가 되어 사는 거도 나쁘진 않겠다 싶기까지 했지.

자는 사이에도 늘 여러 가지 정보가 몸속으로 지나가는 느낌이었어…

그게… 뜻밖에 아주 편하더라구.

「그랬어?」 라니…

그랬어?

얼마나 슬펐는데…!

나는 네가 죽은 줄만 알고,

저기야,
그 쇠막대를
주운 곳이?

그래….

하하하.

너도 엄청난
놈이군.

설마 그걸 들고
「고토」한테
덤벼든 거야?

아, 그전에.

쓰레기 소각과정에서
발생한다는
유기염소 화합물이라도
들었는지 모르지.

…타다만
찌꺼기 같은데….
확실히는 모르겠지만.

하지만
독이라니
대체….

그, 그런 걸
이렇게 아무렇게나
버리다니….

맹독이야.

독이야,
그게?

......

말하자면…
인간을 당할 수는
없었던 거야.

하지만
그 덕분에
이겼잖아.

으…

뭐?

신이치!
아까 그곳으로
돌아가!

!

......

뭐라고?!

놀랍다…!
「고토」가
부활하고 있어!

그럼
죽여야지!

그래...,

전에 비해 따위는
좀 떨어지겠지만...
살아 있는 한
살육을 반복하겠지.

만약...
부활에
성공하면
역시...?

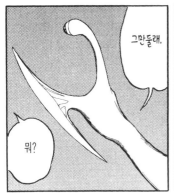

그만둘래.

뭐?

......
오른쪽아?

......,

음... 새삼스러운
느낌도 들지만...
맞는 말이긴 해.

지금이라면
그 손도끼로
노출된 내장을
따괴하기만 하면 돼.
그러면 끝이다.

너한테
맡길게.

내 입장에서 보면
이놈은 같은 종이고...
한때는 한 몸속에서
같이 지내기까지 한 「동족」이야.
내가 이놈을 죽이면,
인간으로 치면 「살인」이 돼.

하지만…
그러면 또 사람들이
죽을 것 아냐!

그렇겠지.

좋도록 해.
싫다면 그만두고.
지금 멀리
달아날 수도
있으니까.

날더러…
하라고…?

그러면
생각할 필요도…

어쩐지
불쌍하다….

……

그러니까
너무
미워하지 마.

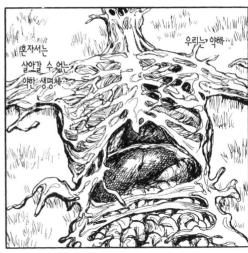

혼자서는
살아갈 수 없는,
약한 생명체…

우리는 약해…

아무리
그렇다고….

기생생물은
대체 무엇을 위해
태어났을까.

이놈들도…
살려고
발버둥치는데….

그건 그래.

물론 인간이 만든 독이
생물들을 위험에
빠뜨리는 것은 사실이다.

넘치는 인간을
죽이기 위해?
지구를 더럽히는
인간을
멸망시키려고?

"이「종」을
먹어치워라"!

이것만 봐도 그래.
그 강하던「고토」가
작은 쇠막대에
묻어 있던 독으로
어이없이…

생물 전체로 보면
인간이 독이고…
기생생물이 약일까?

우리는 하나…
인간과 기생생물은
한가족이야.

누가 정하지?
인간과…
그밖의 생명의 기준은
누가 정해주는데?

그래…
죽이고 싶지 않다!
죽이기 싫다고
생각하는 마음이…
인간에게 남은
마지막 보배 아닐까?

꾸물거릴
시간이 없어.

어느 쪽이든
빨리 정해.

죽이기 싫다…
솔직히…
살려고 아둥바둥하는
생물을 어떻게 죽여…

살 가능성이
반반이라면…
내 손보다는
하늘에 맡기겠어.

…관둘래.
죽어라고 싸워놓고
갑자기
이상한 소리 같지만…
죽이기는 싫어.

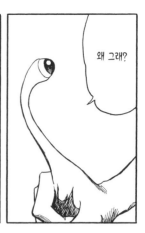

왜 그래?

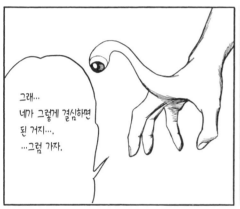

그래…
네가 그렇게 결심하면
된 거지….
…그럼 가자.

이놈은 인간과는
다른 생물이야.
인간의 편의만을
생각할 수는 없어.

인간에게
해롭다 해도
지구 전체로 보면
도리어…

인간에게 해롭다고
그 생물에게
살 권리가
없다는 건가?

그러나,

나는 지금…
인간으로서
터무니없는 중죄를
범하는지도 모른다.

나는 부끄러운 줄도 모르고
「지구를 위해」하고
말하는 인간이 싫어…,
지구는 처음부터
울지도 웃지도 않았다구.

…모르겠어.
TV나 사진으로
아름다운 경치를
본 적은 있지만.

신이치…
너는 지구가
아름답다고
생각해?

들자니까
지구 최초의 생명체는
끓는 유화수소 속에서
태어났다며?

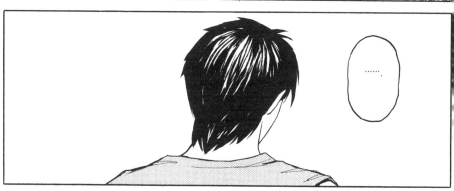

……

하늘에
맡긴다…?

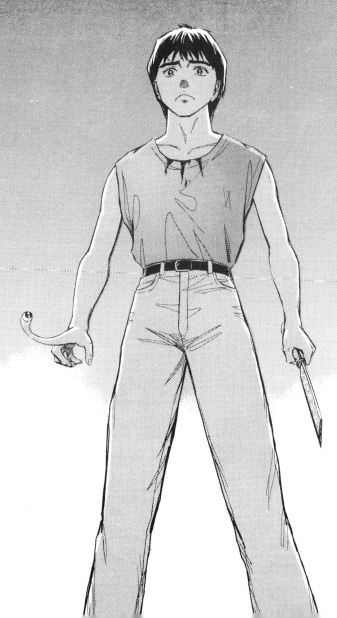

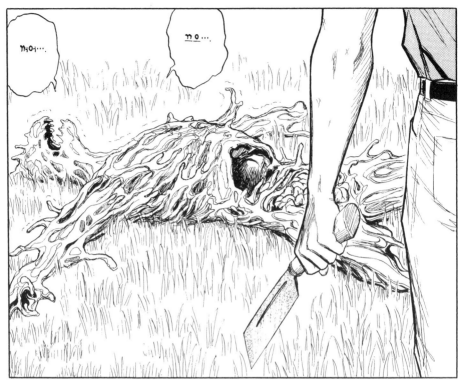

네 잘못은
아니야….
하지만….
미안해….

…미안하다.

괴물의 시체가
발견됐어요!!

괴물이에요!

이봐들
무슨 난리났어?

!

뭣이라?!
시체?!

신이치!!

해냈구나!!

제62화 ―끝―

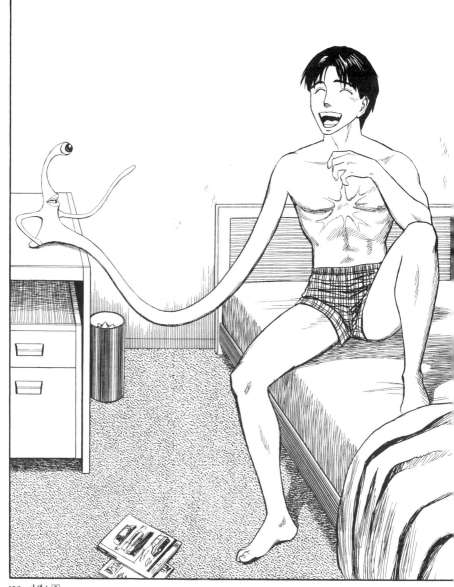

시청
공방전 이후
이 도시―.

아니, 전국적으로
기생생물의 움직임은
거의 느껴지지
않게 되었다.

그러면
왜 그들은
얌전해졌는가.

기생생물의 수가
인간에 비해
극히 적다고는 해도
시청에서「구제」된 것은
일부에 지나지 않아
기생생물 전체에
타격을 줬다고는 할 수 없다.

또한 그들 각자가
「지혜」를 깨우쳐
인간사회에
잠복하는 수법이
점차 교묘해진
탓도 있다.

하나는 물론
「공방전」의
본보기 효과다.

식생활 자체를 「인간화」한 자들도 있었다.

하지만 계중에는 「타무라 레이코」처럼 본래의 식성 자체를 바꾸어 인육을 먹지 않고,

식인동물의 습성을 정착시킨 자도 있고, 조금씩 변화해가는 자도 있었다.

기생생물에는 개체 차가 있었다.

그리고 여기에도 자신을 변화시켜가는 기생생물이 있었다.

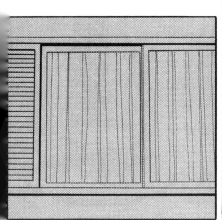

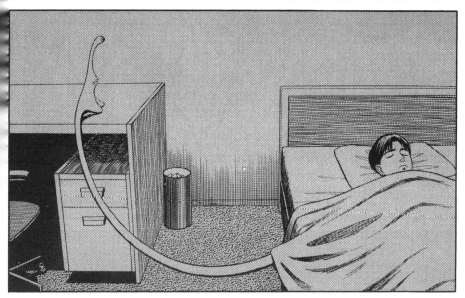

신이치….

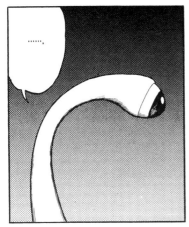

오른쪽이, 넌 하나도 변한 게 없구나. 무심한 것이 말이야.

그래도 정말.. 살아 있어서 다행이야, …오른쪽아….

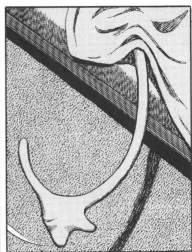

……
으응…?

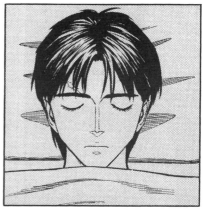

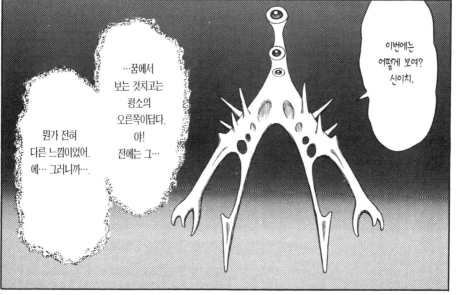

이번에는
어떻게 보여?
신이치.

…꿈에서
보는 것치고는
평소의
오른쪽이란다.
야!
전에는 그…

뭔가 전혀
다른 느낌이었어.
에… 그러니까….

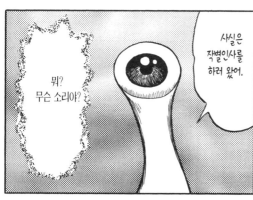

뭐?
무슨 소리야?

사실은
작별인사를
하러 왔어.

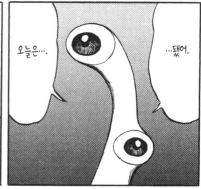

오늘은…,

…됐어.

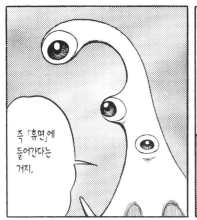

즉 「휴면」에
들어간다는
거지.

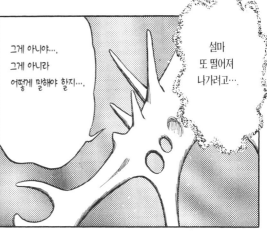

그게 아니야…,
그게 아니라
어떻게 말해야 할지…,

설마
또 떨어져
나가려고….

뭐어…?
무슨 소리야…!
이해를 못하겠어!

몇 년, 몇십 년…
어쩌면
죽을 때까지.

그것과는 달라,
이번 것은
좀 길다…,

휴면…?
넌 늘상
자고 있잖아.

그러니까
네 입장에선
그냥 「오른손」으로
돌아간다고
보면 돼….

한동안은
정보를 완전차단하고
내가 가진 정보만으로
어떻게 해 보고 싶어서….
그래서 밖의 활동을
정지하려는 거야.

갑자기 막대한
정보를 얻은데다가
다른 사고들을
동시에 할 수
있게 됐지….

나는… 내부구조가
또 약간 변했어…,
특히 지난번 「고토」의 몸속에서
자고 있는 듯 깨어 있는 듯하던…
또는 혼자이면서 여럿인 듯하던
생명체험이 크게 작용해서….

하지만
오른쪽아….

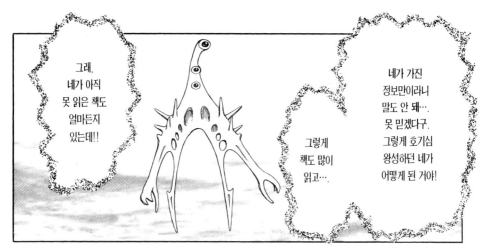

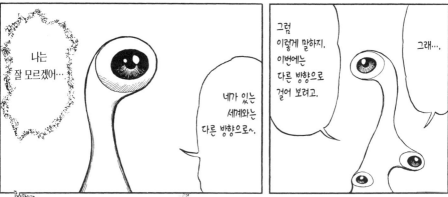

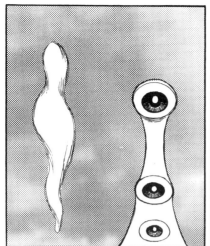

많은 사람들의 죽음은 현실이고…,

분명 네 주위에서 많은 일들이 일어났지. 괴로운 일들이…,

왜 엄마가 여기…!

엄마!

!

「사람의 죽음」이라는 말에 네가 만들어낸 영상이다.

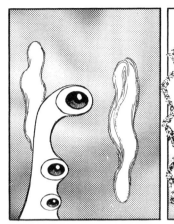

모두 내가
내 「뇌」로
본 것과는 달라….

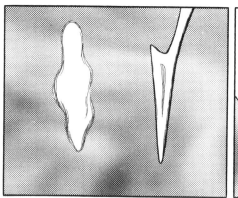

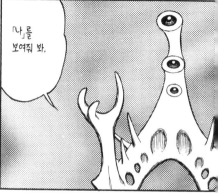

「나」를
보여줘 봐.

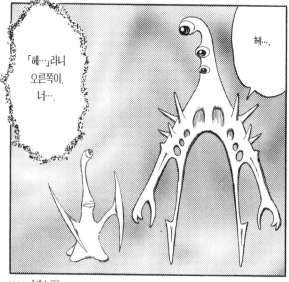

「헤…」라니
오른쪽이.
너….

헤….

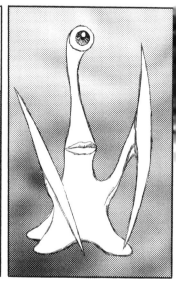

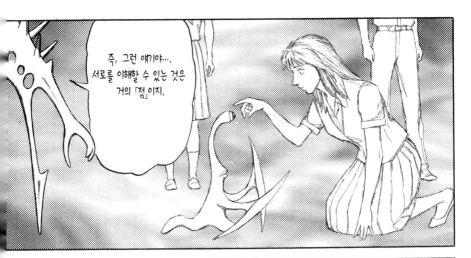

즉, 그런 얘기야...
서로를 이해할 수 있는 것은
거의 「점」이지.

혼을
교환할 수 있다면
모두의 상상을
초월하는 세계가
보이고 들릴 텐데.

같은 구조의
뇌를 가졌다는
인간들끼리도...

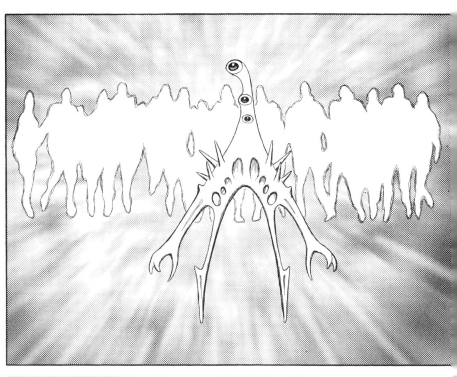

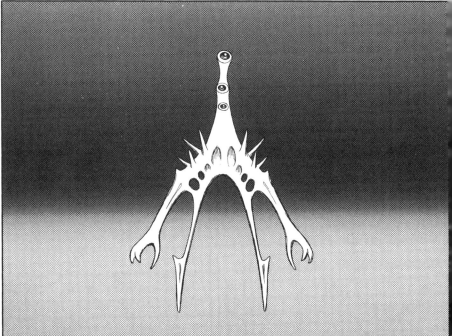

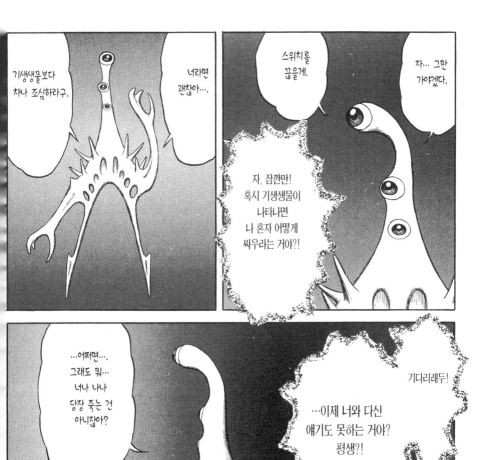

기생생물보다
차나 조심하라구.

너라면
괜찮아....

스위치를
끊을게.

자... 그만
가야겠다.

자, 잠깐만!
혹시 기생생물이
나타나면
나 혼자 어떻게
싸우라는 거야?!

...어쩌면...,
그래도 뭐...
너나 나나
당장 죽는 건
아니잖아?

기다리래두!

...이제 너와 다신
얘기도 못하는 거야?
평생?!

너무해.
이렇게 갑자기.

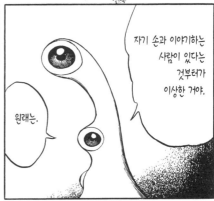

자기 손과 이야기하는
사람이 있다는
것부터가
이상한 거야.

원래는.

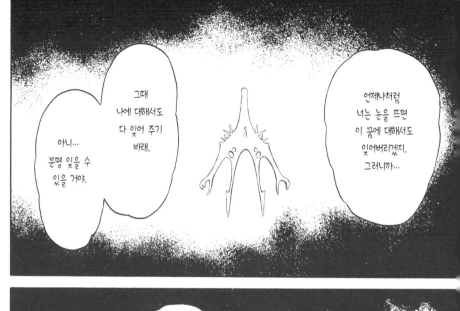

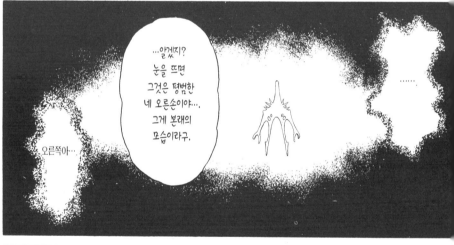

지금까지
고마웠다,
...신이치.

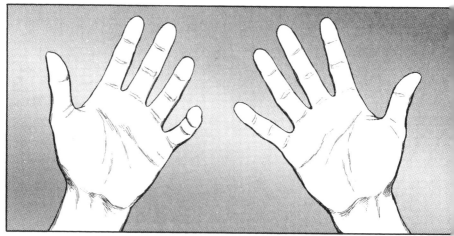

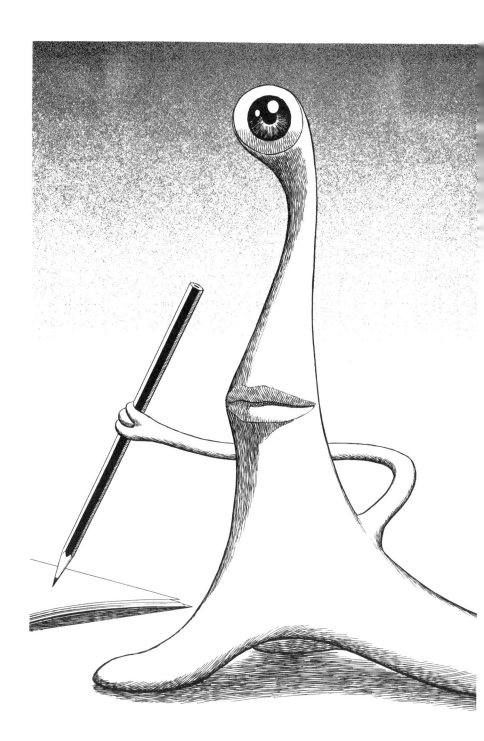

1년 후.

야호—.

이즈미
신이치(19),
재수생.

여—.
기운이 펄펄
넘치는군.

노무라
사토미(19),
대학 1학년.

오랜만이네.

나도 거의 못 만나.

음— 거의 못 만나. 한동네 사는 애나 아침에 잠깐 보지.

고등학교 때 친구들도 자주 만나고 그래?

…대학은 어때?

나만 뒤처져 버렸잖아….

하아.

응… 그럭저럭….

응?

뒤처지긴….

일단 시험은
쳐 보겠지만.

기다린들
같은 대학에
간다는
보장도 없어.

얼마든지 쫓아오셔.
기다릴 테니까.

역시나
무리겠지?

글쎄다….

흐음~.

올챙이적
시절의 고통을
싸그리 잊은 거냐!

너어어!

하하하.

1, 2년 전의
엄청난 사건에
비하면
어린애 장난이나
마찬가지다.

입시 전쟁이
치열하니
뭐니 해도,

그놈들은 대체
어떻게 됐을까?

요즘은
아무 일도 없다.
…특히 요근방에서는
기생생물의 '기' 자도
보이지 않는다.

네.
우다 아저씨도
잘 계셨어요?

어때?
잘 지내고
있니?

한 번은
이즈에 사는
우다 아저씨와
전화 통화를
해봤다.

그리고
「죠」는요?

그때
오른쪽이에
대해서는
말할 수 없었다.

......

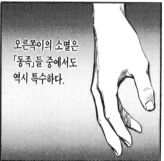

오른쪽이의 소멸은
「동족」들 중에서도
역시 특수하다.

점점 입이
걸어진다니까...

저 말입니까?
잘 지내고말고!
턱주가리 위엣놈보다
훨씬 잘 지내!

지금쯤은
내가 알 수 없는 곳을
돌아다니고 있겠지.

그래도
좋아...

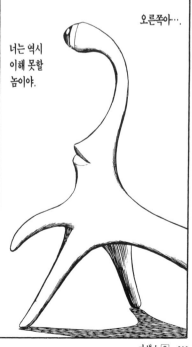

오른쪽아...

너는 역시
이해 못할
놈이야.

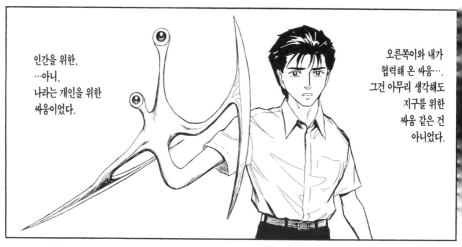

인간을 위한,
…아니,
나라는 개인을 위한
싸움이었다.

오른쪽이와 내가
협력해 온 싸움….
그건 아무리 생각해도
지구를 위한
싸움 같은 건
아니었다.

오른쪽이는 둘째치고
나는 끝내
기생생물의 입장에
설 수 없었다.

그렇다.
처음부터 그런 것은
불가능했다.

그러나 이해하는 것은 무리다.
…아니, 상대를 자신이라는
「종」의 잣대로 재면서
다 파악했다고
생각해선 안 된다.

생물들은 때로는
서로를 이용하고,
때로는 죽인다.

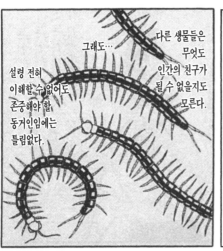

다른 생물들은
무엇도
인간의 친구가
될 수 없을지도
모른다.

그래도…

설령 전혀
이해할 수 없어도
존중해야 할
동거인임에는
틀림없다.

다른 생물의 마음을
아는 체하는 것은
인간의 오만이다.

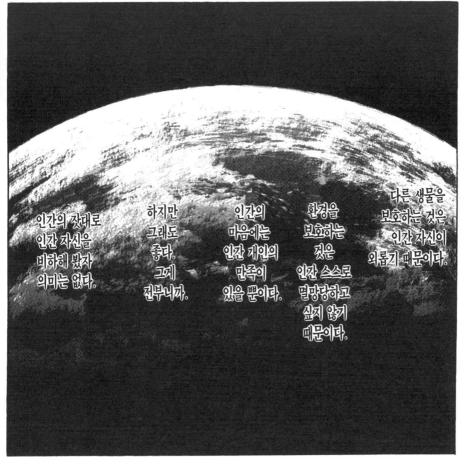

인간의 잣대로
인간 자신을
비하해 봤자
의미는 없다.

하지만
그래도
좋다.
그게
전부니까.

인간의
마음에는
인간 개인의
만족이
있을 뿐이다.

환경을
보호하는
것은
인간 스스로
멸망당하고
싶지 않기
때문이다.

다른 생물을
보호하는 것은
인간 자신이
외롭기 때문이다.

입시는
어쩌고?

어머?
갑자기 스케일
크게 나오시네ー.

인간을
사랑하지 않고
지구를
사랑한다는 건
결국 모순이지.

그런 거야….
그러니까,

그거야….

그래서
기생생물이
눈에 띄지
않는 건가?

아니 저…
요즘은
참 평화롭구나
싶어서.

글쎄다.
범죄율은
증가했다는데….

그놈들도
좁은 의미로는
「적」이었지만
넓은 의미로는
「동족」일지 모른다.

아니…
원래 그리 눈에 띄지 않았던
것일지도 모른다.
살인도 맹수의 식사라고
말해버리면 그뿐이고….

모두들 지구에서
태어났잖은가?

그리고
뭔가에
기대어
살았고….

......

괴물이 섞여 있는
도련님….

내가 보기엔
…상당히
눈에 띄는걸.

제63화 ―끝―

내게는
사람들 틈에서
괴물을 분간하는
능력이 있지….
그런데,

요즘은
아무리 봐도
괴물이
거의 눈에
띄지 않아.

…싫었더니
그놈이다.

다시 한 번
만났으면 좋겠다
싶었는데….

저놈은
기생생물이 아니지만
온전한 인간이라고도
말하기 힘든
뭔가가 있어.

최종화 ——— **너에게**

그렇지… 뭐!

생각해 보면 우리, 사귄 지 꽤 됐지?

응?

그런데 말이야….

……

말하려다 잊어먹었네.

……

이번엔 뭐니?

어?

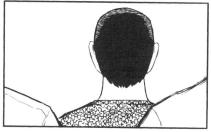

하지만 그런 놈이
태연히 거리를
활보할 수 있나…?
그럴 리가 없어.

닮았다….
1년 전에 만난 그 남자.
…나중에야 끔찍한
연쇄살인범이라는 걸
알았지.

착각인가…?

역시 그놈이다.
…나한테
볼일이 있나?

왜 그래?
누군데?

금방
올게!

잠깐만
여기서
기다려.

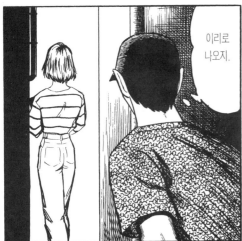

이리로
나오지.

어… 어라?
뭐 이래,
여긴!

까아악!

네 애인이
찾는 사람은
나지롱….

뭐?

야호—.

그런 자식,
못 본 체할 걸
그랬어!

바보같이!

뭐야,
난데없이…!

뭐야…

쾅

으.

예이.

아…
누가 온다.

후… 후후후.

갈까?

저…
저어.

이봐요.
당신 무슨…

응?

그 친구랑
할 말이
있거든…

너는
맨 나중이야.

우앗!!

헉헉!

억!!

이…
이봐요…!

생각보다
빨리 왔네?

여―.
애처롭기도 해라.
무서워서
말도 안 나오나 봐?

시… 신이…
윽….

사토미!

아직
안 했어.

이 피는
저쪽 여자 거라구.

그만둬!!
무슨 짓이야!!

너, 바보냐?

어이!

뇨… 놔줄 수 없을까…?

그… 그럼 저기…

목적이라?

음…

뭐… 뭐야? 네 목적이!

잡히는 건 이제 시간문제야.

역시 경찰에선 내가 살아 있는 줄 다 알더라구.

1년 전… 시청에서 있었던 난리통에 나도 섞여 죽은 것처럼 보이려 했는데…

우린 그냥 갈 테니까….

아니, 저… 미안해! 괜히 쫓아와서….

후후~.

인간과는 다른 대답을 듣고 싶어서 말이야.

하지만 모처럼 너를 만났으니,

뭐…?

…….

기생생물이 인간을 죽이는 이유는 간단해. 그냥 식사지…. 하지만 내가 그러는 이유는 뭘까?

아니… 아마 너라면 알아줄 거야. 나야말로 진짜 인간이라는 걸.

너무들 떠들어댄다구. 하나같이 피에 굶주린 주제에.

인간이란 원래가 서로를 죽이는 생물 아냐?

왜 다른 놈들은 이렇게 참을성이 강할까?

현재가 얼마나 부자연스러운 시대인지도 알고.

자신의 정체도 모르는 인간들이 나만 탓해. …그래도 나는 한눈에 괴물과 인간을 식별할 수 있지.

그걸 갑자기 막아 버리니 5, 60억으로 인구가 늘어난 거라구. 그냥 두면 지구가 뻥 터져 버릴걸.

괴물 따위는 필요없어! 인간은 원래 서로 잡아먹게 돼 있다구. 수천 년 전부터 그래 왔어!

너는…
대체….

나처럼
솔직해지라구.

모
사기꾼이지
너
안 그렇z

네가 순수한
인간이 아니라는 건
벌~써 알고 있어.

모르는 체
하기 없기.

?!

뭐야…?!

라,
거리가 아닌
몸 어딘가에.

섞여 있지?
괴물과….

사실은
처음
봤을 때부터
알았어.

마….

말도 안 돼!!

소리 마!!

말도
안 되는…

......

어딘지 수상쩍은...
흉터 같은 것 없어?
괴물이 기어들어간
구멍이라거나.

아가씨,
애인이라면
저 친구의 몸을
본 적이 있지?

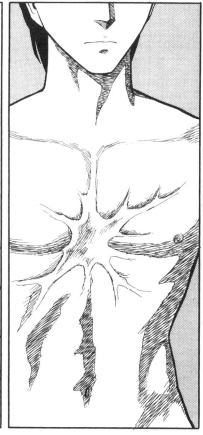

그러니
인간과 괴물 사이에
서 있는 자로서
한말씀 해 주실까.

누구보다도
정직한 내게서
인간사회는
필사적으로
눈을 돌리지.

부탁이야…
그 애를 놔줘…

대답해!
내가 진짜 인간이지?
단지 본능에
따를 뿐이니까!

전에도 누군가가
비슷한 말을
내게 했지….

인간과…
기생생물의
중간이라….

너 같은 건
「고토」에 비하면
허수아비야.

쳇… 갑자기
튀어나와서
무슨 말을 하나
했더니…

신이치….

말로 하라면
뭐든 대답할 테니…
그 애는 놔줘.

하지만
지금은 나도
별로 힘이
없어….

네 말대로
나는…!

신이치!!

그래,
맞아!!

…….

경찰... 불러와.

이딴 자식, 상대할 필요없어.

근데 갑자기 쌩쌩해졌네?

헤... 방금까지 무서워서 말도 못하던 게? 안 그래?

너는 기생생물보다 더한 괴물이라구!!

이딴 자식이 어떻게 인간이야.

사⋯ 사토미⋯.

그치이?

너 같은 거 하나도 안 무서워! 더 끔찍한 일도 학교에서 얼마나 많았는데⋯!

보통 사람과는 좀 다를지 몰라도 그, 그래도 인간이야! 어떤 생명이라도 소중히 여기는 게 인간이라구!

괴물은 너야!!

나도 신이치도 그걸 다 봐 왔어! 마, 맞아! 그때 신이치는 정말 대단했어. 나를 껴안고⋯.

신이치! 나는 괜찮으니까, 어서!!

그만 해, 사토미!

이제 됐어!

어이,
가서 경찰 불러와.
이쪽 아가씨가
더 재밌을 것 같다.

그래,
알았다.

킥킥킥킥!

팔팔한 게
부수는 보람도
있거든….

기다리는 사이에
이 장난감을
조각조각 분해하며
놀아야지.
아마 이게
최후의 즐거움이
될 테니….

하지만
너는 걸음이
너무 빨라서 자꾸 자꾸
모르는 곳으로….
결국 뒤처진 건
나였어….

네가 있는
곳으로
가려고
했어.

시, 신이치!
난… 난 언제나,

이제
조금 앞질러
가버릴지도….

하지만
이제야 겨우
따라잡았어….
그, 그런데…

그 만 둬 !!

왼팔로….

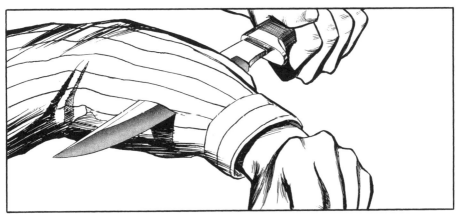

우아아!!

어라?

오른손으로!

인간은
너무나
쉽게…

부서져
버린다

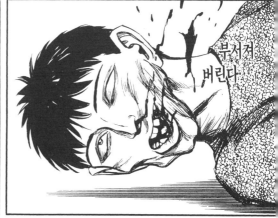

문득 돌아보니
죽어 있었다.

알게 된
생물이…

길에서 만나

그럴 때면
왜 슬퍼지는
걸까.

그야 인간이
그렇게 한가한
동물이기
때문이지.

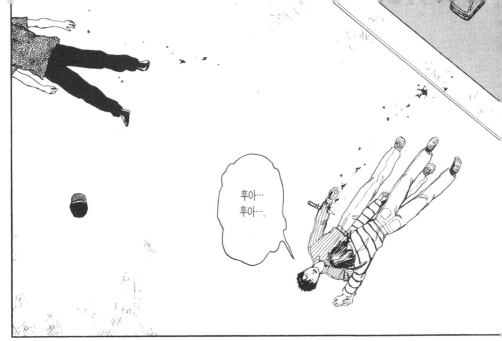

후아…
후아…

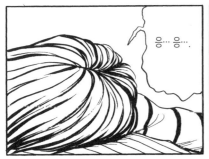

응… 응….

어이…
괜찮아?

상관없어….
사토미한테 들켜도….

오른쪽이를
봤을까…?

너는 역시
살아 있었어!

고맙다,
오른쪽아….

하늘이
새파랗다….

알아….

지금까지 깜빡 잊고
말 안 했는데
…그때 잠시
생각해 보고
나무 밑에…
묻어 줬어.

내가
쓰레기통에
버렸던….

혹시 옛날에…
죽은 강아지, 기억나?

그건 신이치,
…네가 신이치이기
때문이야.

어이!
저기도 세 명이
쓰러져 있어!

꺄악!
사람이~!

후후...

우리까지 쳤나 봐.

...셋이라니?

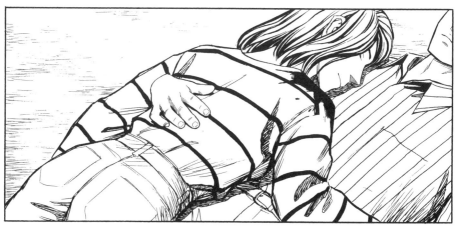

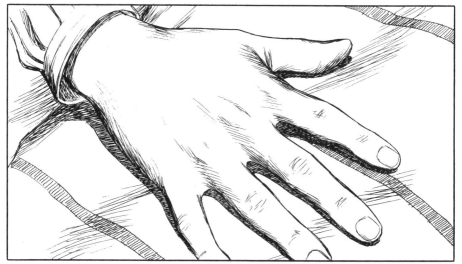

의지하며 산다….
언젠가 생명이
다할 때까지….

그동안 애독해 주셔서 감사합니다

「제55화에 있는 히로카와의 말, "인간들이야말로 지구를 좀먹는 기생수"라는 말은
이와아키 선생님의 의견인가요? 그리고 〈기생수〉라는 제목은 기생생물이 아니라 인간에 대한 것인가요?」
(아이치 현. 왼쪽이 17세 학생)
「그것은 내가 아니라 히로카와의 의견입니다. 그러나 〈기생수〉는 인간을 말할지도 모릅니다.
아니, 생물은 모두 지구에 기생하고 있는 게 아닐까요?」(이와아키 히토시)

(애프터눈 '95년 3월호)

「이와아키 씨에게 묻겠습니다. 만약 신이치와 사토미 사이에 아이가 태어난다면 그 아이는 오른쪽이의
세포를 이어받을까요? 만약 그렇다면 무척 흥미로울 것 같아요. 가르쳐 주세요.」
(토미야마 현. 신 기생수. 16세 학생)
「더 플라이 2,같군요. 하지만 오른쪽이의 세포는 정액에 섞일 만큼 작지 않을 겁니다.」
(이와아키 히토시)

(애프터눈 '95년 3월호에서)

「자신들의 존재이유를 연구해 온 타무라 레이코.
너무나 강렬한 투쟁본능으로 마침내 자기 몸을 태워버린 고토. 인간이면서 기생생물의 입장에서
인간의 거만함을 지적하는 히로카와. 인간의 가장 부정적인 부분을 몸소 보여준 우라카미.
그리고 가장 강하며 가장 긍정적인 모습을 보여 준 사토미.
그들 사이에 서서 다양한 삶과 죽음을 보아 온 신이치가 마지막에 도달한 것은 역시
원점인 사토미의 곁이었다. 아무리 어리석은 짓을 반복해도, 한심하고 추한 꼴을 봐도 사실 인간은
그렇게 몹쓸 존재만은 아니다. 분명 누구나 알고 있을 그 사실을 지금은 잊어가고 있다.
그것은 물질문명 때문일까? 하지만 그런 「가식」을 버린 알몸뚱이의 인간이 아름답다는 것을
신이치는 알았다. 그리고 오른쪽이 또한…
타무라 레이코가 자기 아이를 통해 약간이나마 느낀 〈정〉을 오른쪽이 또한 신이치와 사토미 사이에서
봤을 것이다. 이 이야기는 신이치에게는 물론, 오른쪽이의 성장 또한 그리고 있다고 본다.
그 도달점이 마지막 장면이 아닐까? 인간의 생명에 대해 이렇게 깊이 성찰한 작품을 나는 본 적이 없다.
이와아키 씨, 정말 고맙습니다.」 (군마 현, 모로쿠즈 코메이)

「언제나 수동적이며 얌전한 사토미보다 활기차고 밝은 카나가 인기 있었습니다.
그러나 마지막에서 안착이 된 모양이죠. 말괄량이에 여자 깡패 같은 카나가 이따금 보이는 순수한 면이나
사토미가 위기의 순간에 보여주는 담대함 등, 그 인물의 의외의 면을 그릴 때가 저는 좋습니다.
그 인물을 보다 가까이 느낄 수 있기 때문일지도 모릅니다.」 (이와아키 히토시)

(애프터눈 ' 95년 3월호)

월간 **애프터눈**

독자페이지에서·······················Vol. **18**

「오른쪽이 가슴을 펴고 〈인간〉에 대해 역설하는 장면이 재미있었다.
인간이 아닌 생물이 인간의 최대 장점은 마음의 여유라고 판단하고, 그것이 얼마나 근사한지
인간에게 말한다. 이것은 인간의 이해자가 나타났다는 증거이자, 인간으로서 매우 기쁜 일이었다.」
(오사카. 가키우치 유우키. 17세 학생)
「초등학교나 중학교에서 국어시험에 〈이 이야기에서 자기가 가장 하고 싶었던 말을 써라〉라는
쓸데없는 문제가 나오는데, 만약 이것을 〈기생수〉에 적용시키면 오른쪽이가 마지막에
한 〈인간의 장점에 관하여〉일 겁니다. O표를 드리겠습니다.」 (이와아키 히토시)

「〈기생수〉가 끝난 것이 매우 아쉽습니다. 애프터눈의 얼굴이었는데.
마지막으로 한 번 더 오른쪽이의 모습을 보고 싶었습니다. 그러지 못한 것이 못내 안타깝군요.」
(이바라키 현. TK. 33세 전문직)
「마지막에 사토미의 등에 얹힌 오른손을 크게 잡았습니다.
거기 동그란 눈알을 그릴까 말까 망설였지만, 그대로가 좋다고 생각합니다.
오른쪽이 대신 감사의 말씀을 드리겠습니다.」 (이와아키 히토시)

「설마 우라카미가 다시 나올 줄은 생각지도 못했습니다. 모든 것을 마무리짓는 최종화는 감동적이었습니다.
소제목인 〈너에게〉도 너무 좋습니다. 좋은 작품을 그려 주셔서 고맙습니다.
(카나가와 현 네무로 미야코. 21세)
「소제목인 〈너에게〉는 사실 좀 쑥스러웠습니다.
그래도 이것이 가장 딱 맞아서 그렇게 정했습니다.」 (이와아키 히토시)

월간
애프터눈
「기생수」 단행본 제10권에서

「지금까지 많은 성원을 보내 주셔서 감사합니다. 〈기생수〉는 제가 생각할 수 있는 최고의 형태로 마무리지어졌습니다. 출판사의 스케줄이라거나 항의나 압력이 있었다거나 작가의 돈 욕심이라거나, 그런 것은 일절 관계없이 순수하게 자연스러운 이야기의 흐름에 따라, 누구의 개입도 없이 가장 좋은 형태를 찾아 무사히 종착점에 도달했다는 뜻입니다. 물론 이것이 애프터눈 편집부의 든든한 후원과 많은 독자 여러분의 성원 덕분이라는 것은 말할 필요도 없습니다. 거듭 감사드립니다.

'더 계속하면 좋겠다'라는 편지가 많이 왔습니다. 이것도 작가로서는 고마울 뿐입니다. 다만 만화가에게도 작품에 대한 생각이 있습니다. 인기가 계속되고 수요가 있으면 캐릭터를 얼마든지 활약시키는 '무기한 진행형'과 이야기가 끝나면 완성시키는 '작품 완성형'으로 나뉜다고 생각합니다. 나는 후자이며, 현재 일본 만화계에서는 소수파일지도 모릅니다. 즉, 〈기생수〉는 월간연재라는 형태를 띠면서도 길고 긴 하나의 이야기였습니다. 억지로 늘리거나 질질 끌어서 완성도를 떨어뜨릴 수는 없었습니다. 그러므로 이와아키 히토시의 〈기생수〉는 여기서 끝입니다. 그 뒤의 이야기는 팬 여러분 한 사람 한 사람이 상상해 주세요. 신이치나 오른쪽이는 죽은 게 아니니까…. (그래도 프로만화가가 돼서 작품으로 그리지는 마세요. 서작권 문제가 있으니까!)

무척 즐거운 작업이었습니다. 한동안은 애프터눈과도 이별이지만 언젠가 다시 돌아오고 싶습니다. 그러면 건강하세요!」

이와아키 히토시 　　　　　　　　　　　　　　　　　　　　　　　　　　　　 (애프터눈 '95년 3월호에서)

기생수의 마지막회를 다 그리고 며칠이 지났을 무렵이다. 친구 두 사람과 집에서 술을 마시고 있었다. 밤이 이슥해질 무렵부터 시작해 슬슬 새벽 4시가 되어가던 무렵, 무슨 생각이 들었는지 나는(이미 상당히 취해 있었다) 칼을 가지고 놀기 시작했다. 정확히 말하자면 칼을 그리기 위한 견본 자료로 산 것인데, 날 길이가 약 13센티, 자루까지 쳐서 약 25센티쯤 되는 것이니 딱히 크지도 않다. 하지만 날의 두께가 약 5밀리 정도 되는 것이, 작은 손도끼처럼 중량감이 있었다.

"이게 정말로 베어질까…?"

확실히 날 두께로 보면 커터나 면도날처럼 싸악 베어지는 느낌은 없을 것 같다. 그래서 당장 곁에 있던 편의점 비닐봉지를 푹 찌른 다음 그어봤다. 그러자 소리도 없이 날이 지나가는 게 아닌가.

"어, 이거 재밌는데?"

나는 신이 나서 봉지를 갈가리 찢었다. 하지만 칼이란 취한 머리로 잡을 게 못 된다. 다음 순간, 봉지를 잡고 있던 왼손 엄지손가락이 뜨끔했다(취해서인지 그렇게 아프지는 않았지만). 보니 엄지손가락 끝이 비스듬히 떨어져나가 있었다. 나는 얼른 종이 타월로 상처를 누르고 주먹을 꽉 쥐었다.

나머지 두 사람은 아직 몰랐기 때문에, 나는 슬며시 일어나 구급차를 부르려 했다. 하지만 갑자기 소변이 마려워 우선 화장실로 가서 지퍼를 내리면서, 깜박 잊고 다친 손을 펴 버렸다. 그러자마자 변기는 온통 시뻘개졌고, 여기저기에 피가 묻어 친구들에게 들키고 말았다.

잘려나간 조각을 찾아낸 친구의 말을 빌면 '레몬씨만큼' 작았지만, 손톱까지 달려 있었다고 한다. 커터나 면도날이었으면 손톱에 걸려 멎었을 테지만 이른바 '우라카미의 나이프'는 그렇지 않았다. 그래, 이게 바로 칼을 휘두르는 맛이구나 하는 것을 비로소 깨달았다. 정말 뼈까지 잘리는지는 몰라도, 최소한 엄지손가락 모양은 바꿀 수 있었다. 참으로 황당한 쫑파티였다.

그런데 그로부터 두 달 후, 잘려나갔던 손톱은 점점 자랐고(그것까진 이해가 되는데), 떨어졌던 살도 점점 살아나더니, 맨질맨질하던 손가락 표면에 지문까지 생겨, 거의 원상복귀 하고 말았다. 누가 부탁한 것도 아닌데.

이건 마치 오른쪽이잖아…라기보다는 먼저, 생명의 신비함을 느꼈다. 인간 대 자연이니 하는 말은 이제 황송스럽다. 인간의 육체가 이미 대자연의 지배를 받고 있지 않은가? 무슨 종교 타령을 하자는 건 아니지만, 아무튼 우리는 무언가가 '살도록 해 주기' 때문에 '살아 있는' 것이다.

……이런 식으로 뭔가 있으면 기생수의 테마에 갖다 붙이는 버릇이 생겼지만, 이런 것도 잠시일 것이다.

아무튼 끝났다.

하루하루는 눈 깜박할 사이에 지나갔지만, 아주 충실한 느낌이 드는 5년 반이었다.

〈다음장에 계속〉

작가가 작품을 돌아보았다

애프터눈

독자페이지에서

기생수라는 〈꺼리〉가 머리에 떠오른 것은 사실 꽤 오래 전의 일인데, 내가 프로 만화가로 데뷔하기도 훨씬 전으로 거슬러 올라간다. 즉, '투고용 소재였던 것이다. 그때는 확실히 러브코미디 같은 내용이었던 것 같다. 주인공의 손이 멋대로 움직여 소동이 일어난다. 음, 재밌군 하고 생각했었다……. 하지만, 써 놓고 보니 너무 흔해빠진 얘기였다. 그래서 서랍에 넣어 두고 그대로 약 7년을 보냈다.

그 사이에 만화가 어시스턴트도 하고, 이윽고 나 자신도 프로로 데뷔해, 〈모닝〉이라는 주간지에 〈후코가 있는 가게〉라는 이야기를 격주로 연재도 했다. 이 작품은 말더듬이 소녀가 웨이트리스로 있는 카페를 무대로 한 인정물이랄까, 아무튼 기생수와는 전혀 비스무리하지도 않은 만화였다.

〈후코…〉는 이야기 내용만이 아니라, 만화의 구성법이 전혀 달랐다. 무슨 소리냐 하면, 〈후코…〉는 우선 작품 속에 '등장인물'이 있고, 인물을 돋보이게 하기 위한 '사건'을 생각해가는 식이었다. 그에 반해 〈기생수〉는 우선 '사건'이 존재하고, 이어서 그에 대처할 '등장인물'들을 배치해갔다는 얘기다. '등장인물'에 맞춰 '사건'을 만들어갈 때는 너무나 고통스러웠던데다 통 진도가 나가지 않았는데, '사건'을 먼저 만드는 것은 그 자체가 즐겁고, 펜끝도 슬슬 움직였다. 나는 그런 타입의 만화기였던 것이다. 그것을 깨달았을 때 기생수라는 소재를 서랍에서 끌어냈던 것이다.

꽤 잘나갈 듯한 예감이 들었다.

이런 예감은 만화가가 된 후로 처음이었다.

기생수라는 이야기는 개시부터 종료까지 모두 계산에 넣고 있었다…… 다고 하고 싶지만 그렇지도 않다.

처음에는 겨우 3부작으로 끝낼 생각이었다가 단행본이 되고, 3권 아니 5권, 7권으로 끝내야지, 아니 9권으로… 그러다 결국 10권 분량으로 연장에 연장을 거듭한 것이 하나.

그리고 내용도 처음 구성에서 변경된 곳이 몇 군데 있다. 그 대표적인 것이 최강의 적 〈고토〉의 최후이다.

기생수의 개시인 제1화를 그릴 무렵, 세상은 지금처럼 이콜러지(Ecology) 무드에 젖어 있지도 않았고, 환경 문제에 대해서 시끄럽지도 않았다. 즉, '어리석은 인간들이여' 하고 외치는 인간들이 그리 많지 않았던 것이다. 그래서 제1화 첫머리에서는 인류의 문명에 대한 경종이랄까, 그런 분위기로 일단 시작을 했다. 그런데 차차 많은 사람들이 같은 문제를 놓고 떠들어대기 시작하니 도리어 이상한 느낌이 들었다. 남들과 같은 말을 작품 속에서 복창한다는 것이 창피했던 것이다. 청개구리 심보일지는 몰라도, 아무튼 이번엔 '어리석은 인간들이여' 따위는 인간이 할 말이 아니라는 생각이 들었다.

〈다음장에 계속〉

〈고토〉의 최후 얘기로 돌아가자. 처음에는 〈고토〉를 죽이지 않을 생각이었다. 부활하기 시작한 〈고토〉를 남기고 신이치는 그대로 터벅터벅 돌아가 버리는 것이다. 〈고토〉의 그 후에 대해서는 두 가지 안이 있었다. 하나는 완전히 부활하긴 했지만 오염된 일본을 혐오한 끝에, 거대한 날개로 변형해 아름다운 자연을 찾아 날아간다는 것. 또 하나는 완전히 부활하지 못한 채 인간에게 무해한 생물이 되어 산속에 숨어 살아간다는 것이었다. 둘 다 너무 작위적이며 이상적이다. 더욱이 어딘가 무책임하다. 하지만 파괴, 오염의 원흉인 '어리석은 인간들'에 대해 '아름다운 야성', '위대한 대자연'의 대표격인 〈고토〉가 이렇게 사라져도 될까 하는 생각이 머리에서 떠나지 않았다.

하지만 '삐딱이'인 내 주위의 많은 사람들이 '어리석은 인간들이여' 하고 지겹도록 외쳐준 덕에 좀더 멀리까지 생각할 수 있게 된 것 같다.

이리하여 제1회 첫머리의 말은 어떤 부류의 인간을 대표하는 히로카와 시장에게로 넘어갔고, 주인공은 클라이맥스에서 발걸음을 돌려 스스로의 손을 더럽히게 되었다. 나의 삐딱이 근성에서 비롯된 일이긴 해도 결과적으로는 처음 구상보다 좋아졌다고 장담한다.

몇 가지 변경이나 예상 밖의 전개는 있었지만 내가 의도하지 않은 방향으로 흐르지는 않았고, 물리적, 정신적인 장해나 사고도 만나지 않은 채 무사히 완결까지 올 수 있었던 것은 행운이라 하지 않을 수 없다. 진심으로 모든 사람들에게 감사하고 싶은 마음뿐이다.

〈기생수〉라는 작품은 어디까지나 '이와아키 히토시 치고는'이긴 하지만 잘된 작품이다. 그러기에 앞으로의 내게는 '허들', 아니 '벽'으로 남을지도 모른다. 본 작품이 유일한 대표작이 되지 않도록, 그리고 같은 작품의 재탕이 나오지 않도록 앞으로 더욱 창작에 힘을 기울여야겠다고 생각한다.

마지막으로 이런 횡설수설하는 글을 늘어놓을 건 없잖아 하고 여기시는 분도 있겠지만, 단행본 한 권의 구성상 원고 매수와 페이지 수가 맞지 않아 몇 페이지 여백이 남아 버리는 경우도 있습니다…… 하고 필요도 없는 변명을 덧붙이는 것도 제 나쁜 버릇일지 모르겠군요.

읽어 주셔서 정말 고맙습니다.

1995년 2월
이와아키 히토시

이 책은   츠루미 슌스케

나는 올해 80세가 되는데, 내 생애에 읽어본 가장 재미있는 책들 중 하나로 이 〈기생수〉를 들고 싶다.

이것을 읽은 후로는 나의 시각이 이 책을 닮아간다. 예를 들면 지금 사스(SARS)가 창궐하고 있다. 세균은 사람에게 보이지 않는 곳에서 세균회의를 열고, 새로운 것으로 변한다는 전략을 짜서, 다시금 인간계에 나타난다는 생각이 든다.

세균회의에서 거론되는 인간은 어떤 모습일까? '인간은 서로를 죽이는 데에 열중하는 굉장한 동물이야. 히로시마와 나가사키에서는 20만 명 정도를 죽였대. 그런 인간계에 우리도 끼어들어 볼까?' 기타 등등.

〈기생수〉를 읽은 것은 10년쯤 전이었다. 동네 책방에서 10권을 한꺼번에 사 와서 저녁을 먹은 후에 읽기 시작했다. 두세 권을 읽다보니 이 세계에 사로잡혀 버렸다. 어느새 밤이 훌쩍 깊었다. 심장수술을 받은 지 얼마 안 되었으니 그만 자야겠다고 생각했지만 그것은 이성의 판단일 뿐, 몸이 따르지 않았다. 쓰러져도 좋다, 이 책을 끝까지 읽고 싶다. 10권을 모두 읽으니 날이 새 있었다.

끝마무리가 좋은 장편은 오래도록 마음에 남는다. 〈기생수〉의 마지막에 주인공은, 자기는 일개 생물일 뿐이며, 그것도 이미 기생생물과의 혼혈종이 되기도 했으니 기생생물을 죽일 자격은 없다고 이성으로 생각한다. 그러나 그는 생각을 바꾼다. 기생생물에게 무슨 죄가 있는 것은 아니지만 자기는 자기 가족과 친구들 시기고 싶은 보잘 것 없는 존재다. 그렇게 생각하며, 쓰러져 있는 기생생물에게 일격을 가해 죽인다. 이 정신의 갈등이 생생하게 그려져 있다.

기생생물 측에서도 인간과의 공존을 생각하고 인간의 관습을 받아들이는 개체가 있다. 타무라 레이코와의 대화는 박력이 있다. 그녀는 자기와 인간 사이에 생긴 아이를 주인공에게 주고 "이 아이는 인간이다, 소중히 길러 달라,"는 말을 남긴 채 경찰부대의 총격을 받고 죽는다.

그녀만이 아니다. 주인공 소년은 오른팔에 기생생물이 살고 있는 일종의 혼혈인간이다. 그런 개체로서 그는 자신의 길을 열어간다.

나는 이 책을 70세에 읽었다. 그로부터 10년이 지난 지금은 80세. 지금까지 이만큼 열중해서 읽은 책이 있었나? 있었다. 책장에서 문고본을 하나 꺼내 쪼그려 앉은 채 읽은 책이 하나 있었다. 읽기 시작할 때 밖은 환했지만 다 읽었을 때는 이미 감감했다. 트루게네프의 〈드미트리 루딘〉이라는 책이었다. 끝부분에서 러시아인 루딘이 프랑스 경찰의 총을 맞고 죽는다. "폴란드인이 죽었다."라는 목소리가 동료들 사이에서 들린다. 그러나 루딘은 폴란드인이 아니다. 동료도 그가 누구인지 모른 채 죽는다. 그런 삶도 있다고 생각했다. 그때 나는 15살이었으니까, 쪼그리고 앉아서 책 한 권을 읽을 수 있었다. 이제는 그러지 못한다.

언젠가 병들고 자리에 누워 책을 들어올릴 힘도 없게 되었을 때, 눈을 감으면 떠오르는 책은 무엇일까? 〈루딘〉이 65년간 내 마음에 자리했듯이 〈기생수〉도 그때 내 마음에 남아 있지 않을까?

HITOSHI IWAAKI

⑧

寄生獣

寄生獣

8

스페셜-008

2003년 12월 25일 초판발행
2024년 2월 29일 25쇄발행

저 자: Hitoshi Iwaaki
번 역: 서현아
발 행 인: 정동훈
편 집 인: 여영아
편집책임: 이진경
편집담당: 백유진
발 행 처: (주)학산문화사

서울특별시 동작구 상도로 282 학산빌딩
편집부: 828-8973 FAX: 816-6471
영업부: 828-8986
1995년 7월 1일 등록 제3-632호
http://www.haksanpub.co.kr

개정판 ISBN 979-11-348-1792-3 07650
        ISBN 979-11-348-1789-3(세트)

값 9,000원